Le Skating

Alphonse Daudet

Le Skating

I

Où étaitce?... Où allaitelle?... Le fiacre avait roulé longtemps, longtemps, Audiberte assise à son côté, lui tendant les mains, la rassurant, parlant avec une chaleur de fièvre... Elle ne regardait rien, n'entendait rien; et le grincement de cette petite voix criarde dans le train des roues n'avait pas de sens pour elle, pas plus que ces rues, ces boulevards, ces façades ne lui apparaissaient dans leur aspect connu, mais décolorés par sa vive émotion intérieure, comme si elle les voyait d'une voiture de deuil ou de noces...

Enfin une secousse, et l'on s'arrêtait devant un large trottoir inondé d'une lumière blanche, découpant en noires ombres fourmillantes la foule attroupée. Un guichet pour les billets à l'entrée d'un large corridor, une porte battante en velours rouge, et tout de suite la salle, une salle immense, qui lui rappelait, avec sa nef et ses pourtours, le stuc de ses hautes murailles, une église anglicane où elle était allée une fois pour un mariage. Seulement ici les murs étaient couverts d'affiches, d'annonces bariolées, les chapeaux lièges, les chemises sur mesure à 4 fr. 50, les réclames des magasins de confection, alternant avec les portraits du tambourinaire dont on entendait crier la biographie de cette voix de soupape des marchands de programmes, au milieu d'un tapage assourdissant où le murmure de la foule circulaire, le ronflement des toupies sur le drap des billards anglais, les appels de consommations, des bouffées d'harmonie coupées de fusillades patriotiques venues du fond de la salle, étaient dominés par un perpétuel bruit de patins à roulettes allant et venant sur un large espace asphalté, entouré de balustrades, dans une houle de gibus et de chapeaux Directoire.

Anxieuse, éperdue, tour à tour pâlissant ou rougissant sous son voile, Hortense marchait derrière la Provençale, la suivait difficilement à travers un dédale de petites tables rondes installées en bordure avec des femmes assises deux par deux et qui buvaient, les coudes sur la table, une cigarette aux lèvres, les genoux remontés, d'un air d'ennui. De distance en distance, contre le mur, un comptoir chargé, et derrière, une fille debout, les yeux cerclés de kohl, la bouche sanglante, des éclairs d'acier dans une tignasse noire ou rousse, éméchée sur le front. Et ce blanc, ce noir de chair peinte, ce sourire vermillonné, se retrouvaient sur toutes, comme une livrée qu'elles portaient d'apparitions nocturnes et blafardes.

Sinistre aussi la promenade lente de ces hommes qui se pressaient, insolents et brutaux, entre les tables, envoyant à droite et à gauche la fumée de leurs gros cigares, l'insulte de leur marchandage, s'approchant pour voir l'étalage de plus près. Et ce qui donnait le mieux l'impression d'un marché, c'était ce public cosmopolite et baragouinant, public d'hôtel, débarqué de la veille, venu là dans un négligé de voyage, les bonnets écossais, les jaquettes rayées, les twines encore imprégnés des brumes de la Manche, et les fourrures moscovites pressées de se dégeler, et les longues barbes noires, les airs rogues des bords de la Sprée masquant des rictus de faunes et des fringales de Tartares, et des fez ottomans sur des redingotes sans collet, des nègres en tenue, luisants comme la soie de leurs chapeaux, des petits Japonais à l'Européenne, ratatinés et corrects, en gravures de tailleurs tombées dans le feu.

 Bou Diou! qu'il est laid... disait tout à coup Audiberte devant un Chinois très grave, sa longue natte dans le dos de sa robe bleue; ou bien elle s'arrêtait, et, poussant le coude de sa compagne:

«Vé, vé! la mariée...» elle lui montrait, allongée sur deux chaises, dont l'une soutenait ses bottines blanches de satin à talons d'argent, une femme toute en blanc, le corsage ouvert, la traîne déroulée, et les fleurs d'oranger piquant dans ses cheveux la dentelle d'une courte mantille. Puis, subitement scandalisée à des mots qui l'édifiaient sur cet oranger de hasard, la Provençale ajoutait mystérieusement «Une poison, vous savez bien!» Vite, pour arracher Hortense au mauvais exemple, elle l'entraînait dans l'enceinte du milieu, où tout au fond, tenant la place du choeur dans une église, le théâtre se dressait sous d'intermittentes flammes électriques tombant de deux hublots globuleux, làhaut, dans les frises, les deux yeux à jaillissures lumineuses d'un Père Éternel sur les images de sainteté.

Ici l'on se reposait du scandale tumultueux des promenoirs. Dans les stalles, des familles de petits bourgeois, de fournisseurs du quartier. Peu de femmes. On aurait pu se croire dans une salle de spectacle quelconque, sans l'horrible vacarme ambiant que surmontait toujours avec un roulement régulier d'obsession le patinage sur l'asphalte, couvrant même les cuivres, même les tambours de l'orchestre, rendant seulement possible la mimique des tableaux vivants.

Le rideau se baissait à ce moment sur une scène patriotique, le lion de Belfort, énorme, en cartonpâte, entouré de soldats dans des poses triomphantes sur des remparts croulés, les képis au bout des fusils, suivant la mesure d'une inentamable Marseillaise. Ce train, ce délire excitaient la Provençale; les yeux lui sortaient de la tête, et tout en installant Hortense:

«Nous sommes bien, qué? Mais rélévez donc votre voile... tremblez donc pas... vous tremblez... Il y a pas de risque avé moi.»

La jeune fille ne répondait rien, poursuivie de cette lente promenade outrageante, où elle s'était confondue, au milieu de tous ces masques blafards. Et voilà qu'en face d'elle,

elle les retrouvait, ces horribles masques à lèvres saignantes, dans la grimace de deux clowns se disloquant en maillot, une cloche dans chaque main, carillonnant un air de Martha parmi leurs gambades; vraie musique de gnome, informe et bègue, bien à sa place dans le babélisme harmonique du skating. Puis la toile tombait de nouveau, et la paysanne dix fois levée et, rassise, s'agitant, ajustant sa coiffe, s'exclamait tout à coup en suivant le programme ... «Le mont de Cordoue... les cigales... Farandole... ça commence... vé, vé!...»

Le rideau remontant encore une fois, laissait voir sur la toile de fond une colline lilas, où des maçonneries blanches de construction bizarre, moitié château, moitié mosquée, montaient en minarets, en terrasses, se découpaient en ogives, créneaux et moucharabiehs, avec des aloès, des palmiers de zinc au pied des tours immobiles sous l'indigo d'un ciel très cru. Dans la banlieue parisienne, parmi les villas du commerce enrichi, on voit de ces architectures bouffonnes. Malgré tout, malgré les tons criards des pentes fleuries de thym et des plantes exotiques égarées là pour le mont de Cordoue, Hortense éprouvait une émotion gênée devant ce paysage d'où se levaient ses plus riants souvenirs; et cette casbah d'Osmanli sur ce mont de porphyre rose, ce château reconstruit lui semblait la réalisation de son rêve, mais grotesque et chargée, comme quand le rêve est près de tomber dans l'oppression du cauchemar. Au signal de l'orchestre et d'un jet électrique, de longues libellules, figurées par des filles déshabillées dans la soie collante de leur maillot vertémeraude, s'élancèrent agitant de longues ailes membranées et des crécelles grinçantes.

Ça, des cigales!... pas plus!... dit la Provençale indignée.

Mais déjà elles s'étaient rangées en demicercle, en croissant d'aiguemarine, secouant toujours leurs crécelles très distinctes maintenant, car le tapage du skating s'apaisait, et le bourdonnement circulaire s'était une minute arrêté dans un fouillis de têtes serrées, penchées, regardant sous des coiffures de toute sorte. La tristesse qui navrait Hortense s'accrut encore, quand elle écouta venir, lointain d'abord, s'enflant à mesure, le sourd ronflement du tambourin.

Elle aurait voulu fuir, ne pas voir ce qui allait entrer. Le flûtet égrenait à son tour ses notes menues; et, secouant sous la cadence de ses pas la poussière du tapis couleur de terrain, la farandole se déroulait avec des fantaisies de costume, jupons voyants et courts, bas rouges à coins d'or, vestes pailletées, coiffures sequins, de madras, aux formes italiennes, bretonnes ou cauchoises, d'un beau mépris parisien pour la vérité locale. Derrière, venait à pas comptés, repoussant du genou un tambourin couvert de papier d'or, le grand troubadour des affiches, en collant miparti, une jambe jaune chaussée de bleue, une jambe bleue chaussée de jaune, et la veste de satin à bouffettes, la toque en velours crénelé ombrageant une face restée brune en dépit du fard et dont on ne voyait bien qu'une moustache raidie de pommade hongroise.

Oh! fit Audiberte, extasiée.

La farandole rangée des deux côtés de la scène devant les cigales aux grandes ailes, le troubadour, seul au milieu, salua, assuré et vainqueur, sous le regard du Père Éternel qui poudrait sa veste d'un givre lumineux. L'aubade commença, rustique et grêle, dépassant à peine la rampe, y brûlant un court essor, se débattant un moment aux oriflammes du plafond, aux piliers de l'immense vaisseau, pour retomber enfin dans un silence d'ennui. Le public regardait sans comprendre. Valmajour recommença un autre morceau, accueilli dès les premières mesures par des rires, des murmures, des apostrophes. Audiberte prit la main d'Hortense:

C'est la cabale..., attention!

La cabale ici se résuma par quelques «Chut!... plus haut!...» des plaisanteries comme celleci, que criait une voix enrouée de fille à la mimique compliquée de Valmajour:

Astu fini, lapin savant?

Puis le skating reprit son train de roulettes, de billards anglais, son piétinant trafic couvrant flûtet et tambourin que le musicien s'entêtait à manoeuvrer jusqu'à la fin de l'aubade. Après quoi, il salua, s'avança vers la rampe, toujours suivi par la lueur occulte qui ne le quittait pas. On vit ses lèvres remuer, esquisser quelques mots:

«Ce m'est vénu... un trou... trois trous... L'oiso du bon Dieu...»

Son geste désespéré, compris par l'orchestre, fut le signal d'un ballet où les cigales s'enlacèrent aux houris cauchoises pour des poses plastiques, des danses ondulantes et lascives, sous des feux de Bengale arcenciel allant jusqu'aux souliers pointus du troubadour qui continuait sa mimique de tambourin devant le château de ses aïeux dans une gloire d'apothéose...

Et c'était cela le roman d'Hortense! Voilà ce que Paris en avait fait.

...Le timbre clair du vieux cartel, accroché dans sa chambre, ayant sonné une heure, elle se leva de la causeuse où elle était tombée anéantie en rentrant, regarda tout autour son doux nid de vierge, aux rassurantes tiédeurs d'un feu mourant, d'une veilleuse assoupie.

«Qu'estce que je fais donc là? Pourquoi ne suisje pas couchée?»

Elle ne se souvenait plus, gardant seulement une courbature meurtrie de tout son être, et, dans sa tête, une rumeur qui lui battait le front. Elle fit deux pas, s'aperçut qu'elle avait encore son chapeau, son manteau, et tout lui revint. Le départ de làbas après le rideau tombé, leur retour par le hideux marché plus allumé vers la fin, des bookmakers ivres se battant devant un comptoir, des voix cyniques chuchotant un chiffre sur son passage, puis la scène d'Audiberte à la sortie, voulant qu'elle vînt féliciter son frère, sa colère dans le fiacre, les injures que cette créature lui jetait pour s'humilier ensuite, lui baiser les mains en excuse; tout cela confondu et dansant dans sa mémoire avec des cabrioles de clowns, des discordances de cloches, de cymbales, de crécelles, des montées de flammes multicolores autour du troubadour ridicule à qui elle avait donné son coeur. Une horreur physique la soulevait à cette idée.

«Non, non, jamais... j'aimerais mieux mourir!»

Tout à coup elle aperçut dans la glace en face d'elle un spectre aux joues creuses, aux épaules étroites ramenées en avant d'un geste frileux. Cela lui ressemblait un peu, mais bien plus à cette princesse d'Anhalt dont sa curiosité apitoyée détaillait, à Arvillard, les tristes symptômes et qui venait de mourir à l'entrée de l'hiver.

«Tiens!... tiens!...»

Elle se pencha, s'approcha encore, se rappela l'inexplicable bonté qu'ils avaient tous làbas pour elle, l'épouvante de sa mère, l'attendrissement du vieux Bouchereau à son départ, et comprit... Enfin elle le tenait, son dénoûment... Il venait tout seul... Il y avait assez longtemps qu'elle le cherchait.

II

AUX PRODUITS DU MIDI

«MADEMOISELLE est très malade... Madame ne veut voir personne.»

La dixième fois depuis dix jours qu'Audiberte recevait la même réponse. Immobile devant cette lourde porte cintrée à heurtoir, comme on n en trouve plus guère que sous les arcades de la place Royale, et qui renfermée semblait lui interdire à tout jamais le vieux logis des Le Quesnoy:

«Va bien..., ditelle. Je ne reviens plus... C'est eux qui m'appelleront maintenant.»

Et elle partit tout agitée dans l'animation de ce quartier de commerce dont les camions chargés de ballots, de futailles, de barres de fer bruyantes et flexibles, se croisaient avec des brouettes roulant sous les porches, au fond des cours où l'on clouait des caisses d'emballage. Mais la paysanne ne s'apercevait pas de ce vacarme infernal, de cette trépidation laborieuse ébranlant jusqu'au dernier étage des maisons hautes; il se faisait dans sa méchante tête un choc autrement retentissant de pensées brutales, des heurts terribles de sa volonté contrariée. Et elle allait, ne sentant pas la fatigue, franchissait à pied, pour économiser l'omnibus, le long parcours du Marais à la rue de l'AbbayeMontmartre.

Tout récemment, après une fougueuse pérégrination à travers des logis de toutes sortes, hôtels, appartements meublés, dont on les expulsait chaque fois à cause du tambourin, ils étaient venus s'échouer là, dans une maison neuve qu'occupait à des prix d'essuyers de plâtre une tourbe interlope de filles, de bohèmes, d'agents d'affaires, de ces familles d'aventuriers comme on en voit dans les ports de mer, traînant leur désoeuvrement sur des balcons d'hôtel entre l'arrivée et le départ, guettant le flot dont ils attendent toujours quelque chose. Ici c'est la fortune qu'on épie. Le loyer était bien cher pour eux, maintenant surtout que le skating était en faillite, il fallait réclamer sur papier timbré les quelques représentations de Valmajour. Mais, dans cette baraque fraîche peinte, la porte ouverte à toute heure pour les différents métiers inavouables des locataires, avec les querelles, les engueulades, le tambourin ne dérangeait personne. C'était le tambourinaire qui se dérangeait. Les réclames, les affiches, le collant miparti et ses belles moustaches avaient fait des ravages parmi les dames du skating moins bégueules que cette pimbêche de làbas. Il connaissait des acteurs des Batignolles, des chanteurs de caféconcert, tout un joli monde qui se rencontrait dans un bouge du boulevard Rochechouart appelé le «Paillasson».

Ce Paillasson, où le temps se passait, dans une flâne crapuleuse, à tripoter des cartes, boire des bocks, ressasser des potins de petits théâtres et de basse galanterie, était l'ennemi, l'épouvante d'Audiberte, l'occasion de colères sauvages sous lesquelles les deux hommes courbaient le dos comme sous un orage des tropiques, quittes à maudire ensemble leur despote en jupon vert, parlant d'elle du ton mystérieux et haineux d'écoliers ou de domestiques: «Qu'estce qu'elle a dit?... Combien elle t'a donné?...» et s'entendant pour filer derrière ses talons. Audiberte le savait, les surveillait, s'activait dehors, impatiente de rentrer, et ce jourlà surtout, étant partie dès le matin. Elle s'arrêta une seconde en montant, et n'entendant tambourin ni flûtet:

«Ah! le gueusard... il est encore à son Paillasson...»

Mais, dès l'entrée, le père accourut audevant d'elle et arrêta l'explosion...

«Crie pas!... Il y a de monde pour toi... Un monsieur du menistère.»

Le monsieur l'attendait au salon; car ainsi qu'il arrive dans ces habitations de pacotille faites à la mécanique, dont tous les étages se reproduisent exactement, ils avaient un salon, gaufré, crémeux, pareil à une pâtisserie d'oeufs battus, un salon qui rendait la paysanne très fière. Et Méjean considérait, plein de compassion, le mobilier provençal éperdu dans cette salle d'attente de dentiste, sous la lumière crue de deux croisées sans rideau, la coque et la moque, le pétrin, la panière, fourbus par des déménagements et des voyages, secouant leur poussière rustique sur les dorures et les peintures à la colle. Le profil altier d'Audiberte, très pur, en ruban des dimanches, dépaysé lui aussi à ce cinquième parisien, acheva de l'apitoyer sur ces victimes de Roumestan; et il entama doucement l'explication de sa visite. Le ministre, voulant éviter aux Valmajour de nouveaux mécomptes dont il se sentait jusqu'à un certain point responsable, leur envoyait cinq mille francs pour les dédommager du dérangement et les rapatrier... Il tira des billets de son portefeuille, les posa sur le vieux noyer du pétrin.

Alors, il nous faudra partir? demanda la paysanne, songeuse, sans bouger.

M. le ministre désire que ce soit le plus tôt possible... Il a hâte de vous savoir chez vous, heureux comme auparavant.

Valmajour l'ancien risqua un coup d'oeil vers les billets:

«Moi, ça me paraît raisonnable... Dé qué n'en disés?»

Elle n'en disait rien, attendait la suite, ce que Méjean préparait en tournant et retournant son portefeuille: «À ces cinq mille francs, nous en joindrons cinq mille que voici pour ravoir... pour ravoir...» L'émotion l'étranglait. Cruelle commission que Rosalie lui avait donnée là. Ah! il en coûte souvent de passer pour un homme paisible et fort; on exige de vous bien plus que des autres. Il ajouta très vite «le portrait de mademoiselle Le Quesnoy.

Enfin!... nous y voilà... Le portrait... Je savais bien, pardi!» Elle ponctuait chaque mot d'un saut de chèvre. «Comme ça, vous croyez qu'on nous aura fait venir de l'autre bout de la France, qu'on nous aura tout promis à nous qui ne demandions rien, et puis qu'on nous mettra dehors comme des chiens qui auraient fait leurs malpropretés partout... Reprenez votre argent, monsieur... Pour sûr que nous ne partirons pas, vous pouvezy dire, et qu'on ne le leur rendra pas, le portrait... C'est un papier, ça... Je le garde dans ma saquette... Il ne me quitte jamais et je le montrerai dans Paris, avec ce qu'il y a d'écrit dessus, pour que le monde sache que tous ces Roumestan c'est qu'une famille de menteurs... de menteurs...»

Elle écumait.

Mademoiselle Le Quesnoy est bien malade, dit Méjean très grave.

Avaï!...

Elle va quitter Paris et probablement n'y rentrera pas... vivante.

Audiberte ne répondit rien, mais le rire muet de ses yeux, l'implacable dénégation de son front antique, bas et têtu, sous la petite coiffe en pointe, indiquaient assez la fermeté de son refus. Une tentation passait alors à Méjean de se jeter sur elle, d'arracher la saquette d'indienne de sa ceinture et de se sauver avec. Il se contint pourtant, essaya quelques prières inutiles, puis frémissant de rage lui aussi: «Vous vous en repentirez», dit il, et il sortit, au grand regret du père Valmajour.

«Avisetoi, pichote... tu nous feras arriver quelque malheur.

Pas plus!... C'est à eux que nous en ferons des peines... Je vais consulter Guilloche.»

Guilloche, contentieux.

Derrière cette carte jaunie, piquée sur la porte en face de la leur, il y avait un de ces terribles agents d'affaires dont tout le matériel d'installation consiste en une énorme serviette en cuir, contenant des dossiers d'histoires véreuses, du papier blanc pour les dénonciations et les lettres de chantage, des croûtes de pâté, une fausse barbe et même quelquefois un marteau pour assommer les laitières, comme on l'a vu dans un procès récent. Ce type, très fréquent à Paris, ne mériterait pas une ligne de portrait si ledit Guilloche, un nom qui valait un signalement sur cette face couturée de mille petites rides symétriques, n'eût ajouté à sa profession un détail tout neuf et caractéristique. Guilloche avait l'entreprise des pensums de lycéens. Un pauvre diable de clerc s'en allait ramasser les punitions à la sortie des classes et veillait bien avant dans la nuit à copier des chants de l'Énéide ou les trois voix de . Quand le contentieux manquait, Guilloche, qui était bachelier, s'attelait luimême à ce travail original dont il tirait des bénéfices.

Mis au courant de l'affaire, il la déclara excellente. On assignerait le ministre, on ferait marcher les journaux; le portrait à lui seul valait une mine d'or. Seulement, c'était du temps, des courses, des avances qu'il exigeait en espèces sonnantes, l'héritage Puyfourcat lui paraissant un pur mirage, et qui désolaient la rapacité de la paysanne déjà cruellement mise à l'épreuve, d'autant que Valmajour, très demandé dans les salons, le premier hiver, ne mettait plus les pieds au faubourg de Saint Germeïn...

«Tant pis!... Je travaillerai... je ferai des ménages, zou!»

L'énergique petite coiffe d'Arles s'agitait dans la grande bâtisse neuve, montait, descendait l'escalier, colportant d'étage en étage son histoire avé le ministre, s'exaltait, piaillait, bondissait, et tout à coup mystérieuse «Pouis il y a le portrait...» Le regard furtif et louche comme ces marchandes de photographies dans les passages, à qui les vieux libertins demandent des maillots, elle montrait la chose.

«Une jolie fille, au moins!... Et vous avez lu ce qu'il y a d'écrit en bas...»

La scène se passait dans des ménages interlopes, chez des rouleuses du skating ou du Paillasson qu'elle appelait pompeusement «Madame Malvina... Madame Héloïse...», très impressionnée par leurs robes de velours, leurs chemises bordées d'engrêlures à rubans, l'outillage de leur commerce, sans s'inquiéter autrement de ce que c'était que ce commerce. Et le portrait de la chère créature, si distinguée, si délicate, passait par ces souillures curieuses et critiquantes; on la détaillait, on lisait en riant le naïf aveu, jusqu'au moment où la Provençale, reprenant son bien, serrait dessus la coulisse du sac aux écus, d'un geste furieux d'étranglement:

«Je crois qu'avec ça nous les tenons.»

Zou! elle partait chez l'huissier; l'huissier pour l'affaire du skating, l'huissier pour Cadaillac, l'huissier pour Roumestan. Comme si cela ne suffisait pas à son humeur batailleuse, elle avait encore des histoires avec les concierges, l'éternelle question du tambourin qui cette fois se résolvait par l'exil de Valmajour dans un de ces soussols de marchand de vins où des fanfares de trompes de chasse alternent avec des leçons de savate et de boxe. Désormais ce fut dans cette cave, à la clarté d'un bec de gaz payé à l'heure, en regardant les espadrilles, les gants de daim, les cors de cuivre pendus à la muraille, que le tambourinaire passa ses heures d'exercice, blême et seul comme un captif, à envoyer au ras du trottoir les variations du flûtet pareilles aux stridentes notes plaintives d'un grillon de boulanger.

Un jour, Audiberte fut invitée à passer chez le commissaire de police du quartier. Elle y courut bien vite, persuadée qu'il s'agissait du cousin Puyfourcat, entra souriante, la coiffe haute, et sortit au bout d'un quart d'heure, bouleversée de cette épouvante bien paysanne du gendarme, qui dès les premiers mots lui avait fait rendre le portrait et signer un reçu de dix mille francs par lequel elle renonçait à tout procès. Par exemple, elle refusait obstinément de partir, s'entêtait à croire au génie de son frère, gardant toujours au fond de ses yeux l'éblouissement de ce long défilé de carrosses, un soir d'hiver, dans la cour du ministère illuminé.

En rentrant, elle signifia à ses hommes plus craintifs qu'elle même, qu'ils n'eussent plus à parler de l'affaire; mais ne toucha mot de l'argent reçu. Guilloche qui le soupçonnait, cet argent, employa tous les moyens pour en prendre sa part, et n'ayant obtenu qu'une indemnité minime, garda terriblement rancune aux Valmajour.

Eh bien ditil un matin à Audiberte pendant qu'elle brossait sur le palier les plus beaux habits du musicien encore couché. Eh bien, vous voilà contente... Il est mort enfin.

Qui donc?

Mais Puyfourcat, le cousin... C'est sur le journal...

Elle eut un cri, courut dans la maison, appelant, pleurant presque:

Mon père!... Mon frère!... Vite... l'héritage!

Tous émus, haletant autour de l'infernal Guilloche, il déplia l'Officiel, leur lut très lentement ceci: «En date du 1er octobre 1876, le tribunal de Mostaganem a, sur la requête de l'administration des domaines, ordonné la publication et affichage des successions ciaprès... Popelino (Louis) journalier... Ce n'est pas ça... Puyfourcat (Dosithée)...»

C'est bien lui... dit Audiberte.

L'ancien crut devoir s'éponger les yeux:

«Pécaïré! Pauvre Dosithée...»

Puyfourcat, décédé à Mostaganem le 14 janvier 1874, né à Valmajour, commune d'Aps...

La paysanne impatientée demanda:

Combien?

Trois francs trentecinq cintimes!... cria Guilloche d'une voix de camelot; et leur laissant le journal pour qu'ils pussent vérifier leur déception, il se sauva avec un éclat de rire qui gagna d'étage en étage jusque dans la rue, égaya tout ce grand village de Montmartre où la légende des Valmajour circulait.

Trois francs trentecinq, l'héritage des Puyfourcat! Audiberte affecta d'en rire plus fort que les autres; mais l'effroyable désir de vengeance qui couvait en elle contre les Roumestan, responsables à ses yeux de tous leurs maux, ne fit que s'accroître, cherchant une issue, un moyen, la première arme à sa portée.

La physionomie du papa était singulière dans ce désastre. Pendant que sa fille se rongeait de fatigue et de rage, que le captif s'étiolait dans son caveau, lui, fleuri, insouciant, n'ayant plus même son ancienne jalousie de métier, paraissait s'être arrangé dehors une tranquille existence à part des siens. Il décampait sitôt la dernière bouchée du déjeuner; et quelquefois, le matin, en brossant ses effets, il tombait de ses poches une figue sèche, un berlingot, des canissons, dont le vieux expliquait tant bien que mal la provenance.

Il avait rencontré une payse dans la rue, quelqu'un de làbas qui viendrait les voir.

Audiberte remuait la tête:

«Avai! si je te suivais...»

La vérité c'est qu'en flânant à travers Paris, il avait découvert dans le quartier SaintDenis un grand magasin de comestibles où il était entré, amorcé par l'écriteau et par les tentations d'une devanture exotique, aux fruits colorés, aux papiers argentés et gaufrés, éclatant dans le brouillard d'une rue populeuse. L'endroit, dont il était devenu le commensal et l'ami, bien connu des Méridionaux passés Parisiens, s'intitulait:

Aux produits du Midi.

Et jamais étiquette plus véridique. Là tout était produit du Midi, depuis les patrons, M. et madame Mèfre, deux produits du Midi Gras, avec le nez busqué de Roumestan, les yeux flamboyants, l'accent, les locutions, l'accueil démonstratif de la Provence, jusqu'à leurs garçons de boutique, familiers, tutoyeurs, ne se gênant pas pour crier vers le comptoir en grasseyant: «Dis donc, Mèfre... Où tu as mis le saucisson?» Jusqu'aux petits Mèfre, geignards et malpropres, menacés à chaque instant d'être éventrés, scalpés, mis en bouillie, trempant tout de même leurs doigts dans tous les barils ouverts; jusqu'aux acheteurs gesticulant, bavardant pendant des heures, pour l'acquisition d'une barquette de deux sous, ou s'installant en rond sur des chaises a discuter les qualités du saucisson à l'ail et du saucisson au poivre, les pas moins, au moins, allons différemment, tout le vocabulaire de la tante Portal échangé bruyamment, tandis qu'un «cher frère» en robe noire reteinte, ami de la maison, marchandait du poisson salé, et que les mouches, une quantité de mouches, attirées par tout le sucre de ces fruits, de ces bonbons, de ces pâtisseries presque orientales, bourdonnaient même au milieu de l'hiver conservées dans cette chaleur cuite. Et lorsqu'un Parisien fourvoyé s'impatientait du lambinage du service, de l'indifférence distraite de ces boutiquiers continuant à faire la causette d'une banque à l'autre, tout en pesant et ficelant de travers, il fallait voir comme on vous le rembarrait dans l'accent du cru:

«Té! vé, si vous êtes pressé, la porte elle est ouverte, et le tramway il passe devant, vous savez bien.»

Dans ce milieu de compatriotes, le père Valmajour fut reçu à bras ouverts. M. et madame Mèfre se rappelaient l'avoir vu dans les temps en foire de Beaucaire, à un concours de tambourins. Entre vieilles gens du Midi, cette foire de Beaucaire, aujourd'hui tombée, n'existant que de nom, est restée comme un lien de fraternité maçonnique. Dans nos provinces méridionales, elle était la féerie de l'année, la distraction de toutes ces existences racornies; on s'y préparait longtemps à l'avance, et longtemps après on en causait. On la promettait en récompense à la femme, aux enfants, leur rapportant toujours, si on ne pouvait les emmener, une dentelle espagnole, un jouet qu'on trouvait au fond de la malle. La foire de Beaucaire, c'était encore, sous un prétexte de commerce, quinze jours, un mois de la vie libre, exubérante, imprévue, d'un campement bohémien. On couchait çà et là chez l'habitant, dans les magasins, sur les comptoirs, en pleine rue, sous la toile tendue des charrettes, à la chaude lumière des étoiles de juillet.

Oh! les affaires sans l'ennuyeux de la boutique, les affaires traitées en dînant, sur la porte, en bras de chemises, les baraques en file le long du Pré, au bord du Rhône, qui luimême n'était qu'un mouvant champ de foire, balançant ses bateaux de toutes formes, ses lahuts aux voiles latines, venus d'Arles, de Marseille, de Barcelone, des îles Baléares, chargés de vins, d'anchois, de liège, d'oranges, parés d'oriflammes, de banderoles qui claquaient au vent frais, se reflétaient dans l'eau rapide. Et ces clameurs, cette foule bariolée d'Espagnols, de Sardes, de Grecs en longues tuniques et babouches brodées, d'Arméniens en bonnets fourrés, de Turcs avec leurs vestes galonnées, leurs éventails, leurs larges pantalons de toile grise, se pressant aux restaurants en plein vent, aux étalages de jouets d'enfants, de cannes, ombrelles, orfèvrerie, pastilles du sérail, casquettes. Et ce qu'on appelait «le beau dimanche», c'estàdire le premier dimanche de l'installation, les ripailles sur les quais, sur les bateaux, dans les trattorias célèbres, à la Vignasse, au Grand Jardin, au Café Thibaut; ceux qui ont vu cela une fois en ont gardé la nostalgie jusqu'à la fin de leur existence.

Chez les Mèfre, on se sentait à l'aise, un peu comme en foire de Beaucaire; et de fait, la boutique ressemblait bien dans son pittoresque désordre à un capharnaüm improvisé et forain de produits du Midi. Ici, remplis et fléchissants, les sacs de farinette en poudre d'or, les pois chiches gros et durs comme des chevrotines, les châtaignes blanquettes, toutes ridées et poussiéreuses, ressemblant à de petites faces de vieilles bûcheronnes, les jarres d'olives vertes, noires, confites, à la picholine, les estagnons d'huile rousse à goût de fruit, les barils de confitures d'Apt faites de cosses de melons, de cédrats, de figues, de coings, tout le détritus d'un marché tombé dans la mélasse. Làhaut, sur des rayons, parmi les salaisons, les conserves aux mille flacons, aux mille boîtes de ferblanc, les friandises spéciales à chaque ville, les coques et les barquettes de Nîmes, le nougat de Montélimar, les canissons et les biscottes d'Aix, enveloppes dorées, étiquetées, paraphées.

Puis les primeurs, un déballage de verger méridional sans ombre, où les fruits dans des verdures grêles ont des facticités de pierreries, les fermes jujubes d'un beau vernis d'acajou neuf à côté des pâles azeroles, des figues de toutes variétés, des limons doux, des poivrons verts ou écarlates, des melons ballonnés, des gros oignons à pulpes de fleurs, les raisins muscats aux grains allongés et transparents où tremble la chair comme le vin dans une outre, les régimes de bananes zébrées de noir et de jaune, des écroulements d'oranges, de grenades aux tons mordorés, boulets de cuivre rouge à la mèche d'étoupe serrée dans une petite couronne en cimier. Enfin, partout aux murs, aux plafonds, des deux côtés de la porte, dans un enchevêtrement de palmes brûlées, des chapelets d'aulx et d'oignons, les caroubes sèches, les andouilles ficelées, des grappes de maïs, un ruissellement de couleurs chaudes, tout l'été, tout le soleil méridional, en boîtes, en sacs, en jarres, rayonnant jusque sur le trottoir à travers la buée des vitres.

Le vieux allait làdedans, la narine allumée, frétillant, très excité. Lui qui, chez ses enfants, rechignait au moindre ouvrage et pour un bouton remis à son gilet s'essuyait le front pendant des heures, se vantant d'avoir fait «un travail de César», était toujours prêt ici à donner un coup de main, à mettre l'habit bas pour clouer, déballer les caisses, picorant deci delà un berlingot, une olive, égayant le travail par ses singeries et ses histoires; et même, une fois la semaine, le jour de la brandade, il veillait très tard au magasin pour aider à faire les envois.

Ce plat méridional entre tous, la brandade de morue, ne se trouve guère qu'aux Produits du Midi; mais la vraie, blanche, pilée fin, crémeuse, une pointe d'aïet, telle qu'on la fabrique à Nîmes, d'où les Mèfre la font venir. Elle arrive le jeudi soir à sept heures par le «Rapide» et se distribue le vendredi matin dans Paris à tous les bons clients inscrits au grand livre de la maison. C'est sur ce journal de commerce aux pages froissées, sentant les épices et taché d'huile, qu'est écrite l'histoire de la conquête de Paris par les méridionaux, que s'alignent en file les hautes fortunes, situations politiques, industrielles, noms célèbres d'avocats, députés, ministres, et entre tous, celui de Numa Roumestan, le Vendéen du Midi, pilier de l'autel et du trône.

Pour cette ligne où Roumestan est inscrit, les Mèfre jetteraient au feu le livre entier. C'est lui qui représente le mieux leurs idées en religion, en politique, en tout. Comme dit madame Mèfre, encore plus passionnée que son mari:

«Cet hommelà, voyezvous, on damnerait son âme pour lui.»

L'on aime à se rappeler le temps où Numa, déjà sur la route de la gloire, ne dédaignait pas de venir faire luimême sa provision. Et qu'il s'y entendait à choisir une pastèque à la tâte, un saucisson bien suant sous le couteau! Puis, tant de bonté, cette belle figure imposante, toujours un compliment pour madame, une bonne parole au «cher frère», une caresse aux petits Mèfre qui l'accompagnaient jusqu'à la voiture, portant les paquets. Depuis son élévation au ministère, depuis que ces scélérats de rouges lui donnaient tellement d'occupation dans les deux Chambres, on ne le voyait plus, pécaïré! mais il restait le fidèle abonné des produits; et c'était lui toujours le premier pourvu.

Un jeudi soir, vers les dix heures, tous les pots de brandade parés, ficelés, en bel ordre sur la banque, la famille Mèfre, les garçons, le vieux Valmajour, tous les produits du Midi au grand complet, suant, soufflant, se reposaient de cet air étalé des gens qui ont bien rempli une rude tâche et «faisaient trempette» avec des langues de chat, des biscottes dans du vin cuit, du sirop d'orgeat, «quelque chose de doux, allons!» car pour le fort, les méridionaux ne l'aiment guère. Chez le peuple comme dans les campagnes, l'ivresse d'alcool est presque inconnue. La race instinctivement en a la peur et l'horreur. Elle se sent ivre de naissance, ivre sans boire.

Et c'est bien vrai que le vent et le soleil lui distillent un terrible alcool de nature, dont tous ceux qui sont nés làbas subissent plus ou moins les effets. Les uns ont seulement ce petit coup de trop, qui délie la langue et les gestes, fait voir la vie en bleu et des sympathies partout, allume les yeux, élargit les rues, aplanit les obstacles, double l'audace et cale les timides; d'autres, plus frappés, comme la petite Valmajour, la tante Portal, arrivent tout de suite au délire bégayant, trépidant et aveugle. Il faut avoir vu nos fêtes votives de Provence, ces paysans debout sur les tables, hurlant, tapant de leurs gros souliers jaunes, appelant «Garçon, dé gazeuse!» tout un village ivre à rouler pour quelques bouteilles de limonade. Et ces subites prostrations des intoxiqués, ces effondrements de tout l'être succédant aux colères, aux enthousiasmes avec la brusquerie d'un coup de soleil ou d'ombre sur un ciel de mars, quel est le méridional qui ne les a ressentis?

Sans avoir le midi délirant de sa fille, le père Valmajour était né avec une fière pointe; et ce soirlà, sa trempette à l'orgeat le transportait d'une gaieté folle qui lui faisait grimacer, au milieu de la boutique, le verre en main, la bouche empoissée, toutes ses farces de vieux pitre payant l'écot sans monnaie. Les Mèfre, leurs garçons se tordaient sur les sacs de farinette.

«Oh! de ce Valmajour, pas moins!»

Subitement la verve du vieux tomba, son geste de pantin fut coupé en deux par l'apparition devant lui d'une coiffe provençale, toute frémissante.

Qu'estce que vous faites là, mon père?

Madame Mèfre leva les bras vers les andouilles du plafond:

Comment! c'est votre demoiselle?... vous nous l'aviez pas dit... Hé! qu'elle est petitette!... mais bien bravette, pas moins... Remettezvous donc, mademoiselle.

Par une habitude de mensonge autant que pour se garder plus libre, l'ancien n'avait pas parlé de ses enfants, se donnait pour un vieux garçon vivant de ses rentes; mais entre gens du Midi, on n'en est pas à une invention près. Toute une ribambelle de petits Valmajour se serait poussée à la suite d'Audiberte, l'accueil eût été le même démonstratif et chaleureux. On s'empressait, on lui faisait place:

Différemment, vous allez faire trempette, vous aussi.

La Provençale restait interdite. Elle venait du dehors, du froid, du noir de la nuit, une nuit de décembre, où la vie fiévreuse de Paris se continuant malgré l'heure, s'affolait dans l'épais brouillard déchiré en tous sens par des ombres rapides, les lanternes de couleur des omnibus, la trompe rauque des tramways; elle arrivait du Nord, elle arrivait de l'hiver, et tout à coup, sans transition, elle se trouvait en pleine Provence italienne, dans ce magasin Mèfre resplendissant aux approches de Noël de richesses gourmandes et ensoleillées, au milieu d'accents et de parfums connus. C'était la patrie brusquement retrouvée, le retour au pays après un an d'exil, d'épreuves, de luttes lointaines chez les Barbares. Une tiédeur l'envahissait, détendait ses nerfs, à mesure qu'elle émiettait sa banquette dans un doigt de Carthagène, répondant à tout ce brave monde à l'aise et familier avec elle comme si on la connaissait depuis vingt ans. Elle se sentait rentrée dans sa vie, dans ses habitudes; et des larmes lui en montaient aux yeux, ces yeux durs veinés de feu qui ne pleuraient jamais.

Le nom de Roumestan prononcé à son côté sécha tout à coup cette émotion. C'était madame Mèfre qui inspectait les adresses de ses envois et recommandait bien de ne pas se tromper, de ne pas porter la brandade de Numa, rue de Grenelle, mais rue de Londres.

Paraît que rue de Grenelle, la brandade n'est pas en odeur de saïnteté, remarqua l'un des produits.

Je crois bien, dit M. Mèfre... Une dame du Nord, tout ce qu'il y a de plus Nord... Cuisine au beurre, allons!... tandis que rue de Londres, c'est le joli Midi, gaieté, chansons, et tout à l'huile... Je comprends que Numa s'y trouve mieux.

On en parlait légèrement de ce second ménage du ministre dans un petit piedàterre très commode, tout près de la gare, où il pouvait se reposer des fatigues de la Chambre, libre des réceptions et des grands tralalas. Bien sûr que l'exaltée madame Mèfre aurait poussé de beaux cris si pareille chose se fût passée dans son ménage; seulement, pour Numa, cela n'était que sympathique et naturel.

Il aimait le tendron; mais estce que tous nos rois ne couraient pas, et Charles X, et Henri IV, le vertgalant? Ça tenait à son nez Bourbon, té, pardi!...

Et à cette légèreté, à ce ton de gouaillerie dont le Midi traite toutes les affaires amoureuses, se mêlait une haine de race, l'antipathie contre la femme du Nord, l'étrangère et la cuisine au beurre. On s'excitait, on détaillait des anédotes, les charmes de la petite Alice et ses succès au GrandOpéra.

J'ai connu la maman Bachellery en temps de foire de Beaucaire, disait le vieux Valmajour... Elle chantait la romance au Café Thibaut.

Audiberte écoutait sans respirer, ne perdant pas un mot, incrustant dans sa tête nom, adresse; et ses petits yeux brillaient d'une ivresse diabolique où le vin de Carthagène n'était pour rien.

III

LA LAYETTE

Au coup léger frappé à la porte de sa chambre, madame Roumestan tressaillit, comme prise en faute, et repoussant le tiroir délicatement contourné de sa commode Louis XV, devant lequel elle se penchait presque agenouillée, elle demanda:

Qui est là?... Qu'estce que vous voulez, Polly?...

Une lettre pour madame... c'est très pressé... répondit l'Anglaise.

Rosalie prit la lettre et referma la porte vivement. Une écriture inconnue, grossière, sur du papier de pauvre, avec le «personnel et urgent» des demandes de secours. Jamais une femme de chambre parisienne ne l'aurait dérangée pour si peu. Elle jeta cela sur la commode, remettant la lecture à plus tard, et revint vite à son tiroir qui contenait les merveilles de l'ancienne layette. Depuis huit ans, depuis le drame, elle ne l'avait pas ouvert, craignant d'y retrouver ses larmes ni même depuis sa grossesse, par une superstition bien maternelle, de peur de se porter malheur encore une fois, avec cette caresse précoce donnée a l'enfant qui va naître, à travers son petit trousseau.

Elle avait, cette vaillante femme, toutes les nervosités de la femme, tous ses tremblements, ses resserrements frileux de mimosa; le monde, qui juge sans comprendre, la trouvait froide, comme les ignorants s'imaginent que les fleurs ne vivent pas. Mais maintenant, son espoir ayant six mois, il fallait bien tirer tous ces petits objets de leurs plis de deuil et d'enfermement, les visiter, les transformer peutêtre; car la mode change même pour les nouveaunés, on ne les enrubanne pas toujours de la même manière. C'est pour ce travail tout intime que Rosalie s'était soigneusement enfermée et dans le grand ministère affairé, paperassant, le bourdonnement des rapports, le fiévreux vaet vient des bureaux aux divisions, il n'y avait certainement rien d'aussi sérieux, d'aussi émouvant que cette femme à genoux devant un tiroir ouvert, le coeur battant et les mains tremblantes.

Elle leva les dentelles un peu jaunies qui préservaient avec des parfums tout ce blanc d'innocentes toilettes, les béguins, les brassières, par rang d'âge et de taille, la robe pour le baptême, la guimpe à petits plis, des bas de poupée. Elle se revit làbas à Orsay, doucement alanguie, travaillant des heures entières à l'ombre du grand catalpa dont les calices blancs tombaient dans la corbeille à ouvrage parmi ses pelotons et ses fins ciseaux de brodeuse, toute sa pensée concentrée dans un point de couture qui lui mesurait les rêves et les heures. Que d'illusions alors, que de croyances! Quel joyeux ramage dans les feuilles, sur sa tête; en elle, quelle éveillée de sensations tendres et nouvelles! En un jour la vie lui avait repris tout, brusquement. Et son désespoir lui rentrait au coeur, la trahison du mari, la perte de l'enfant, à mesure qu'elle développait sa layette.

La vue de la première petite parure, toute prête à passer, celle que l'on prépare sur le berceau au moment de la naissance, les manches l'une dans l'autre, les bras écartés, les bonnets gonflés dans leur rondeur, la faisait éclater en larmes. Il lui semblait que son enfant avait vécu, qu'elle l'avait embrassé et connu. Un garçon. Oh! bien certainement, un garçon, et fort, et joli, et dans sa chair de lait déjà les yeux sérieux et profond du grand père. Il aurait huit ans aujourd'hui, de longs cheveux bouclés tombant sur un grand col; à cet âgelà, ils appartiennent encore à la mère qui les promène, les pare, les fait travailler! Ah! cruelle, cruelle vie...

Mais peu à peu, en tirant et maniant les menus objets noués de faveurs microscopiques, leurs broderies à fleurs, leurs dentelles neigeuses, elle s'apaisait. Eh bien, non, la vie n'est pas si méchante; et tant qu'elle dure, il faut garder du courage.

Elle avait perdu tout le sien à ce tournant funeste, s'imaginant que c'était fini pour elle de croire d'aimer, d'être épouse et mère, qu'il ne lui restait qu'à regarder le lumineux passé s'en aller loin comme un rivage qu'on regrette. Puis, après des années mornes, sous la neige froide de son coeur le renouveau avait germé lentement, et voici qu'il refleurissait dans ce tout petit qui allait naître, qu'elle sentait déjà vigoureux aux terribles petits coups de pied qu'il lui envoyait la nuit. Et son Numa si changé, si bon, guéri de ses brutales violences! Il y avait bien encore en lui des faiblesses qu'elle n'aimait pas, de ces détours italiens dont il ne pouvait se défendre mais «ça, c'est la politique...» comme il disait. D'ailleurs, elle n'en était plus aux illusions des premiers jours; elle savait que pour vivre heureux il faut se contenter de l'à peu près de toutes choses, se tailler des bonheurs pleins dans les demibonheurs que l'existence nous donne...

On frappa de nouveau à la porte. M. Méjean, qui voulait parler à
Madame.
 Bien... j'y vais...

Elle le rejoignit dans le petit salon qu'il arpentait de long en large, très ému.

 J'ai une confession à vous faire, ditil sur le ton de familiarité un peu brusque qu'autorisait une amitié déjà ancienne, dont il n'avait pas tenu à eux de faire un lien fraternel... Voilà quelques jours que j'ai terminé cette misérable affaire...

Je ne vous le disais pas pour garder ceci plus longtemps...

Il lui tendit le portrait d'Hortense.

Enfin!... Oh! qu'elle va être heureuse, pauvre chérie...

Elle s'attendrit devant la jolie figure de sa soeur étincelant de santé et de jeunesse sous son déguisement provençal, lut au bas du portrait l'écriture très fine et très ferme: Je crois en vous et je vous aime, HORTENSE LE QUESNOY. Puis, songeant que le pauvre amoureux l'avait lue aussi et qu'il s'était chargé là d'une triste commission, elle lui serra la main affectueusement:

Merci...

Ne me remerciez pas, madame... Oui, c'était dur... Mais, depuis huit jours, je vis avec ça... Je croîs en vous et je vous aime... Par moment, je me figurais que c'était pour moi...

Et tout bas, timidement:

Comment vatelle?

Oh! pas bien... Maman l'emmène dans le Midi... Maintenant, elle veut tout ce qu'on veut... Il y a comme un ressort brisé en elle.

Changée?...

Rosalie eut un geste: «Ah!...»

Au revoir, madame..., fit Méjean très vite, s'éloignant à grands pas. À la porte, il se retourna, et, carrant ses solides épaules sous la tenture à demisoulevée:

C'est une vraie chance que je n'aie pas d'imagination... Je serais trop malheureux...

Rosalie rentra dans sa chambre, bien attristée. Elle avait beau s'en défendre, invoquer la jeunesse de sa soeur, les paroles encourageantes de Jarras persistant à ne voir là qu'une crise à franchir, des idées noires lui venaient qui n'allaient plus avec le blanc de fête de sa lavette. Elle se hâta de trier, ranger, enfermer les petites affaires dispersées, et comme elle se relevait, aperçut la lettre restée sur la commode, la prit, la lut machinalement, s'attendant à la banale requête qu'elle recevait tous les jours de tant de mains différentes, et qui serait bien arrivée dans une de ces minutes superstitieuses où la charité semble un portebonheur. C'est pourquoi elle ne comprit pas tout d'abord, fut obligée de relire ces lignes écrites en pensum par la plume bègue d'un écolier, le jeune homme de Guilloche:

«Si vous aimez la brandade de morue, on en mange d'excellente ce soir chez Mlle Bachellery, rue de Londres. C'est votre mari qui régale. Sonnez trois coups et entrez droit.»

De ces phrases bêtes, de ce fond boueux et perfide, la vérité se leva, lui apparut, aidée par des coïncidences, des souvenirs; ce nom de Bachellery, tant de fois prononcé depuis un an, des articles énigmatiques sur son engagement, cette adresse qu'elle lui avait entendu donner à luimême, le long séjour à Arvillard. En une seconde le doute se figea pour elle en certitude. D'ailleurs, estce que le passé ne lui éclairait pas ce présent de toute son horreur réelle? Mensonge et grimace, il n'était, ne pouvait être que cela. Pourquoi cet éternel faiseur de dupes l'eûtil épargnée? C'est elle qui avait été folle de se laisser prendre à sa voix trompeuse, à ses banales tendresses; et des détails lui revenaient qui, dans la même seconde, la faisaient rougir et pâlir.

Cette fois ce n'était plus le désespoir à grosses larmes pures des premières déceptions; une colère s y mêlait contre ellemême si faible, si lâche d'avoir pu pardonner, contre lui qui l'avait trompée au mépris des promesses, des serments de la faute passée. Elle aurait voulu le convaincre, là, tout de suite; mais il était à Versailles, à la Chambre. L'idée lui vint d'appeler Méjean, puis il lui répugna d'obliger cet honnête homme à mentir. Et réduite à étouffer toute une violence de sentiments contraires, pour ne pas crier, se livrer à la terrible crise de nerfs qu'elle sentait l'envahir, elle marchait çà et là sur le tapis, les mains par une pose familière à la taille lâchée de son peignoir. Tout à coup elle s'arrêta, tressaillit d'une peur folle.

Son enfant!

Il souffrait, lui aussi, et se rappelait à sa mère de toute la force d'une vie qui se débat. Ah! mon Dieu, s'il allait mourir, celuilà, comme l'autre...au même âge de la grossesse, dans des circonstances pareilles... Le destin, que l'on dit aveugle, a parfois de ces combinaisons féroces. Et elle se raisonnait en mots entrecoupés, en tendres exclamations «cher petit... pauvre petit...,» essayait de voir les choses froidement, pour se conduire avec dignité et surtout ne pas compromettre ce seul bien qui lui restait. Elle prit même un ouvrage, cette broderie de Pénélope que garde toujours en train l'activité de la Parisienne; car il fallait attendre le retour de Numa, s'expliquer avec lui ou plutôt saisir dans son attitude la conviction de la faute, avant l'éclat irrémédiable d'une séparation.

Oh! ces laines brillantes, ce canevas régulier et incolore, que de confidences ils reçoivent; que de regrets, de joies, de désirs, forment l'envers compliqué, noué, plein de fils rompus, de ces ouvrages féminins aux fleurs paisiblement entrelacées.

Numa Roumestan, en arrivant de la Chambre, trouva sa femme tirant l'aiguille sous l'étroite clarté d'une seule lampe allumée; et ce tableau tranquille, ce beau profil adouci de cheveux châtains, dans l'ombre luxueuse des teintures ouatées, où les paravents de laque, les vieux cuivres, les ivoires, les faïences, accrochaient les lueurs promeneuses et tièdes d'un feu de bois, le saisit par le contraste du brouhaha de l'Assemblée, des plafonds lumineux enveloppés d'une poussière trouble flottant audessus des débats comme le nuage de poudre dégagé d'un champ de manoeuvre.

«Bonjour, maman... Il fait bon chez toi...»

La séance avait été chaude. Toujours cet affreux budget, la gauche pendue pendant cinq heures aux basques de ce pauvre général d'Espaillon qui ne savait pas coudre deux idées de suite, quand il ne disait pas s... n... d... D... Enfin, le cabinet s'en tirait encore cette fois; mais c'est après les vacances du jour de l'an, quand on en serait aux BeauxArts, qu'il faudrait voir ça.

«Ils comptent beaucoup sur l'affaire Cadaillac pour me basculer... C'est Rougeot qui parlera... Pas commode, ce Rougeot... Il a de l'estomac! ...

Puis avec son coup d'épaule:

«Rougeot contre Roumestan... Le Nord contre le Midi... tant mieux. Ça va m'amuser... On se bûchera.»

Il parlait seul, tout au feu des affaires, sans s'apercevoir du mutisme de Rosalie. Il se rapprocha d'elle, tout près, assis sur un pouf, lui faisant lâcher son ouvrage, essayant de lui baiser la main.

«C'est donc bien pressé ce que tu brodes là?... C'est pour mes étrennes?... Moi, j'ai déjà acheté les tiennes... Devine.»

Elle se dégagea doucement, le fixa à le gêner, sans répondre. Il avait ses traits fatigués des jours de grande séance, cette détente lasse du visage, trahissant au coin des yeux et de la bouche une nature à la fois molle et violente, toutes les passions et rien pour leur résister. Les figures du Midi sont comme ses paysages, il ne faut les regarder qu'au soleil.

Tu dînes avec moi? demanda Rosalie.

Mais non... On m'attend chez Durand... Un dîner ennuyeux... Té! je suis déjà en retard, ajoutatil en se levant... Heureusement qu'on ne s'habille pas.

Le regard de sa femme le suivait. «Dîne avec moi, je t'en prie.» Et sa voix harmonieuse se durcissait en insistant, se faisait menaçante, implacable. Mais Roumestan n'était pas observateur... Et puis, les affaires, n'estce pas? Ah! Ces existences d'homme public ne se mènent pas comme on voudrait.

«Adieu, alors...» ditelle gravement, achevant en elle cet adieu. «... puisque c'est notre destinée».

Elle écouta rouler le coupé sous la voûte; ensuite, son ouvrage soigneusement plié, elle sonna.

«Tout de suite une voiture... un fiacre... Et vous, Polly, mon manteau, mon chapeau... je sors.»

Vite prête, elle inspecta du regard la chambre qu'elle quittait, où elle ne regrettait, ne laissait rien d'elle, vraie chambre de maison garnie, sous la pompe de son froid brocart jaune.

«Descendez ce grand carton dans la voiture.»

La layette, tout ce qu'elle emportait du bien commun.

À la portière du fiacre, l'Anglaise, très intriguée, demanda si madame ne dînerait pas. Non, elle dînait chez son père, elle y coucherait aussi, probablement.

En route, un doute lui vint encore, plutôt un scrupule. Si rien de tout cela n'était vrai... Si cette Bachellery n'habitait pas rue de Londres... Elle donna l'adresse, sans grand espoir; mais il lui fallait une certitude.

On l'arrêta devant un petit hôtel à deux étages, surmonté d'une terrasse en jardin d'hiver, l'ancien piedàterre d'un levantin du Caire qui venait de mourir dans la ruine. L'aspect d'une petite maison, volets clos, rideaux tombés, une forte odeur de cuisine montant des soussols éclairés et bruyants. Rien qu'à la façon dont la porte obéit aux trois coups de timbre, tourna d'ellemême sur ses gonds, Rosalie fut renseignée. Une tapisserie persane, relevée par des torsades au milieu de l'antichambre, laissait voir l'escalier, son tapis mousseux, ses torchères, dont le gaz brûlait à toute montée. Elle entendit rire, fit deux pas et vit ceci qu'elle n'oublia plus jamais:

Au palier du premier étage, Numa se penchait sur la rampe, rouge, allumé, en bras de chemise, tenant par la taille cette fille, très excitée aussi, les cheveux dans le dos sur les fanfreluches d'un déshabillé de foulard rose. Et il criait de son accent débridé:

«Bompard, monte la brandade!...»

C'est là qu'il fallait le voir, le ministre de l'Instruction Publique et des Cultes, le grand marchand de morale religieuse, le défenseur des saines doctrines, là qu'il se montrait sans masque et sans grimaces, tout son Midi dehors, à l'aise et débraillé comme en foire de Beaucaire.

«Bompard, monte la brandade!...» répéta la drôlesse, exagérant exprès l'intonation marseillaise. Bompard, c'était sans doute ce marmiton improvisé, surgissant de l'office, la serviette en sautoir, les bras arrondis autour d'un grand plat, et que fit retourner le battant sonore de la porte.

IV

LE PREMIER DE L'AN

«Messieurs de l'administration centrale!...

«Messieurs de la direction des BeauxArts!...

«Messieurs de l'Académie de médecine!...

À mesure que l'huissier, en grande tenue, culotte courte, épée à côté, annonçait de sa voix morne dans la solennité des pièces de réception, des files d'habits noirs traversaient l'immense salon rouge et or et venaient se ranger en demicercle devant le ministre adossé à la cheminée, ayant près de lui son sous secrétaire d'État, M. de la Calmette, son chef de cabinet, ses attachés fringants, et quelques directeurs du ministère, Dansaert, Béchut. À chaque corps constitué présenté par son président ou son doyen, l'Excellence adressait des compliments pour les décorations, les palmes académiques accordées à quelquesuns de ses membres; ensuite le corps constitué faisait demitour, cédait la place, ceuxlà se retirant, d'autres aux portes du salon; car il était tard, une heure passée, et chacun songeait au déjeuner de famille qui l'attendait.

Dans la salle des concerts, transformée en vestiaire, des groupes s'impatientaient à regarder leurs montres, boutonner leurs gants, rajuster leurs cravates blanches sous des faces tirées, des bâillements d'ennui, de mauvaise humeur et de faim. Roumestan, lui aussi, sentait la fatigue de ce grand jour. Il avait perdu sa belle chaleur de l'année dernière à pareille époque, sa foi dans l'avenir et les réformes, laissait aller ses speech mollement, pénétré de froid jusqu'aux moelles malgré les calorifères, l'énorme bûcher flambant; et cette petite neige floconnante, qui tourbillonnait aux vitres, lui tombait sur le coeur légère et glacée comme sur la pelouse du jardin.

«Messieurs de la ComédieFrançaise!...»

Rasés de près, solennels, saluant ainsi qu'au grand siècle, ils se campaient en nobles attitudes autour de leur doyen qui, d'une voix caverneuse, présentait la Compagnie, parlait des efforts, des voeux de la Compagnie, la Compagnie sans épithète, sans qualificatif, comme on dit Dieu, comme on dit la Bible, comme s'il n'existait d'autre Compagnie au monde que cellelà; et il fallait que le pauvre Roumestan fût bien affaissé, pour que même cette Compagnie, dont il semblait faire partie avec son menton bleu, ses bajoues, ses poses d'une distinction convenue, ne réveillât son éloquence à grandes phrases théâtrales.

C'est que depuis huit jours, depuis le départ de Rosalie, il était comme un joueur qui a perdu son fétiche. Il avait peur, se sentait subitement inférieur à sa fortune et tout près d'en être écrasé. Les médiocres que la chance a favorisés ont de ces transes et de ces vertiges, accrus pour lui de l'effroyable scandale qui allait éclater, de ce procès en séparation que la jeune femme voulait absolument, malgré les lettres, les démarches, ses plates prières et ses serments. Pour la forme, on disait au ministère que madame Roumestan était allée vivre près de son père à cause du prochain départ de madame Le Quesnoy et d'Hortense; mais personne ne s'y trompait, et sur tous ces visages défilant devant lui, à de certains sourires appuyés, à des poignées de mains trop vibrantes, le malheureux voyait son aventure reflétée en pitié, en curiosité, en ironie. Il n'y avait pas jusqu'aux infimes employés, venus à la réception en jaquette et redingote, qui ne fussent au courant; il circulait dans les bureaux des couplets où Chambéry rimait avec Bachellery et que plus d'un expéditionnaire, mécontent de sa gratification, fredonnait intérieurement en faisant une humble révérence au chef suprême.

Deux heures. Et les corps constitués se présentaient toujours, et la neige s'amoncelait, pendant que l'homme à la chaîne introduisait pêlemêle, sans ordre hiérarchique:

«Messieurs de l'École de Droit!...

«Messieurs du Conservatoire de Musique!...

«Messieurs les directeurs des théâtres subventionnés!...»

Cadaillac venait en tête, à l'ancienneté de ses trois faillites; et Roumestan avait bien plus envie de tomber à coups de poing sur ce montreur cynique dont la nomination lui causait de si graves embarras, que d'écouter sa belle allocution démentie par la blague féroce du regard et de lui répondre un compliment forcé dont la moitié restait dans l'empois de sa cravate:

«Très touché, messieurs... mn mn mn...progrès de l'art... mn mn mn ferons mieux encore...»

Et le monteur, en s'en allant:

«Il a du plomb dans l'aile, notre pauvre Numa...»

Ceuxlà partis, le ministre et ses assesseurs faisaient honneur à la collation habituelle; mais ce déjeuner, si gai l'année précédente et plein d'effusion, se ressentait de la tristesse du patron et de la mauvaise humeur des familiers qui lui en voulaient tous un peu de leur situation compromise. Ce scandaleux procès, tombant juste au milieu du débat Cadaillac, allait rendre Roumestan impossible au cabinet; le matin même, à la réception de l'Élysée, le maréchal en avait dit deux mots dans sa brutale et laconique éloquence de vieux troupier:

«Une sale affaire, mon cher ministre, une sale affaire...» Sans connaître précisément cette auguste parole, chuchotée à l'oreille dans une embrasure, ces messieurs voyaient venir leur disgrâce derrière celle de leur chef.

«Ô femmes! femmes!» grognait le savant Béchut dans son assiette. M. de la Calmette et ses trente ans de bureau se mélancolisaient en songeant à la retraite comme Tircis; et tout bas le grand Lappar s'amusait à consterner Rochemaure: «Vicomte, il faut nous pourvoir... Nous serons ratiboisés avant huit jours.»

Sur un toast du ministre à l'année nouvelle et à ses chers collaborateurs, porté d'une voix émue où roulaient des larmes, on se sépara. Méjean, resté le dernier, fit deux ou trois tours de long en large avec son ami, sans qu'ils eussent le courage de se dire un mot; puis il partit. Malgré tout son désir de garder près de lui ce jourlà cette nature droite qui l'intimidait comme un reproche de conscience, mais le soutenait, le rassurait, Numa ne pouvait empêcher Méjean de courir à ses visites, distributions de voeux et de cadeaux, pas plus qu'il ne pouvait interdire à son huissier d'aller se déharnacher dans sa famille de son épée et de sa culotte courte.

Quelle solitude, ce ministère! Un dimanche d'usine, la vapeur éteinte et muette. Et, dans toutes les pièces, en bas, en haut, dans son cabinet où il essayait vainement d'écrire, dans sa chambre qu'il se prenait à remplir de sanglots, partout cette petite neige de janvier tourbillonnait aux larges fenêtres, voilait l'horizon, accentuait un silence de steppe.

Ô détresse des grandeurs!...

Une pendule sonna quatre heures, une autre lui répondit, d'autres encore dans le désert du vaste palais où il semblait qu'il n'y eût plus que l'heure de vivante. L'idée de rester là jusqu'au soir, en tête à tête avec son chagrin, l'épouvantait. Il aurait voulu se dégeler à un peu d'amitié, de tendresse. Tant de calorifères, de bouches de chaleur, de moitiés d'arbres en combustion ne faisaient pas un foyer. Un moment il songea à la rue de Londres... Mais il avait juré à son avoué, car les avoués marchaient déjà, de se tenir tranquille jusqu'au procès. Tout à coup un nom lui traversa l'esprit: «Et Bompard? Pourquoi n'étaitil pas venu?» D'ordinaire, aux matins de fête, on le voyait arriver le premier, les bras chargés de bouquets, de sacs de bonbons pour Rosalie, Hortense, madame Le Quesnoy, aux lèvres un sourire expressif de grandpapa, de bonhomme Étrennes. Roumestan faisait, bien entendu, les frais de ces surprises; mais l'ami

Bompard avait assez d'imagination pour l'oublier, et Rosalie, malgré son antipathie, ne pouvait s'empêcher de s'attendrir, en songeant aux privations que devait s'imposer le pauvre diable pour être si généreux.

«Si j'allais le chercher, nous dînerions ensemble.»

Il en était réduit là. Il sonna, se défit de l'habit noir, de ses plaques, de ses ordres, et sortit à pied par la rue Bellechasse.

Les quais, les ponts étaient tout blancs; mais le Carrousel franchi, ni le sol ni l'air ne gardaient trace de la neige. Elle disparaissait sous l'encombrement roulant de la chaussée, dans le fourmillement de la foule pressée sur les trottoirs, aux devantures, autour des bureaux d'omnibus. Ce tumulte d'un soir de fête, les cris des cochers, les appels des camelots, dans la confusion lumineuse des vitrines, les feux lilas des Jablochkoff noyant le jaune clignotement du gaz et les derniers reflets du jour pâle, berçaient le chagrin de Roumestan, le fondaient à l'agitation de la rue, pendant qu'il se dirigeait vers le boulevard Poissonnière où l'ancien Tcherkesse, très sédentaire comme tous les gens d'imagination, demeurait depuis vingt ans, depuis son arrivée à Paris.

Personne ne connaissait l'intérieur de Bompard, dont il parlait pourtant beaucoup ainsi que de son jardin, de son mobilier artistique pour lequel il courait toutes les ventes de l'hôtel Drouot. «Venez donc un de ces matins manger une côtelette!...» C'était sa formule d'invitation, il la prodiguait, mais quiconque la prenait au sérieux ne trouvait jamais personne, se heurtait à des consignes de portier, des sonnettes bourrées de papier ou privées de leur cordon. Pendant toute une année, Lappara et Rochemaure s'acharnèrent inutilement à pénétrer chez Bompard, à dérouter les prodigieuses inventions du Provençal défendant le mystère de son logis, jusqu'à desceller un jour les briques de l'entrée, pour pouvoir dire aux invités, en travers de la barricade:

«Désolé, mes bons... Une fuite de gaz... Tout a sauté cette nuit.»

Après avoir monté des étages innombrables, erré dans de vastes couloirs, buté sur des marches invisibles, dérangé des sabbats de chambres de bonnes, Roumestan, essoufflé de cette ascension à laquelle ses illustres jambes d'homme arrivé n'étaient plus faites, se cogna dans un grand bassin d'ablutions pendu à la muraille.

Qui vive? grasseya un accent connu.

La porte tourna lentement, alourdie par le poids d'un porte manteau où pendait toute la garderobe d'hiver et d'été du locataire; car la chambre était petite et Bompard n'en perdait pas un millimètre, réduit à installer son cabinet de toilette dans le corridor. Son ami le trouva couché sur un petit lit de fer, le front orné d'une coiffure écarlate, une sorte de capulet dantesque qui se hérissa d'étonnement à la vue de l'illustre visiteur.

«Pas possible!

Estce que tu es malade? demande Roumestan.

Malade! ... Jamais.

Alors qu'estce que tu fais là?

Tu vois, je me résume...» Il ajouta pour expliquer sa pensée: «J'ai tant de projets en tête, tant d'inventions. Par moment, je me disperse, je m'égare... Ce n'est pas qu'au lit que je me retrouve un peu.»

Roumestan cherchait une chaise; mais il n'y en avait qu'une, servant de table de nuit, chargée de livres, de journaux, avec un bougeoir branlant dessus. Il s'assit au pied du lit.

Pourquoi ne t'aton plus vu?

Mais tu badines... Après ce qui est arrivé, je ne pouvais plus me retrouver avec ta femme. Juge un peu! J'étais là devant elle, ma brandade à la main... Il m'a fallu un fier sangfroid pour ne pas tout lâcher.

Rosalie n'est plus au ministère... fit Numa consterné.

Ça ne s'est donc pas arrangé?... tu m'étonnes.

Il ne lui semblait pas possible que madame Numa, une personne de tant de bons sens... Car enfin qu'estce que c'était que tout ça? «Une foutaise, allons!»

L'autre l'interrompit:

Tu ne la connais pas... C'est une femme implacable... tout le portrait de son père... Race du Nord, mon cher... Ce n'est pas comme nous autres dont les plus grandes colères s'évaporent en gestes, en menaces, et plus rien, la main tournée... Eux gardent tout, c'est terrible.

Il ne disait pas qu'elle avait déjà pardonné une fois. Puis, pour échapper à ces tristes préoccupations:

Habilletoi... je t'emmène dîner...

Pendant que Bompard procédait à sa toilette sur le palier, le ministre inspectait la mansarde éclairée d'une petite fenêtre en tabatière où glissait la neige fondante. Il était pris de pitié en face de ce dénuement, ces lambris humides, au papier blanchi, ce petit poêle piqué de rouille, sans feu malgré la saison, et se demandait, habitué au somptueux confort de son palais, comment on pouvait vivre là.

Astu vu le jardeïn? cria joyeusement Bompard de sa cuvette.

Le jardin, c'était le sommet défeuillé de trois platanes qu'on ne pouvait apercevoir qu'en grimpant sur l'unique chaise du logis.

Et mon petit musée?

Il appelait ainsi quelques débris étiquetés sur une planche: une brique, un brûlegueule en bois dur, une lame rouillée, un oeuf d'autruche. Mais la brique venait de l'Alhambra, le couteau avait servi les vendettas d'un fameux bandit corse, le brûlegueule portait en inscription: pipe de forçat marocain; enfin, l'oeuf durci représentait l'avortement d'un beau rêve, tout ce qui restait avec quelques lattes et morceaux de fonte entassés dans un coin de la CouveuseBompard et de l'élevage artificiel. Oh! maintenant il avait mieux que cela, mon bon. Une idée merveilleuse, à millions, qu'il ne pouvait pas dire encore.

«Qu'estce que tu regardes?... Ça? ... c'est mon brevet de majoral... Bé, oui, majoral de l'Aïoli.»

Cette société de l'Aïoli avait pour but de faire manger à l'ail une fois par mois tous les Méridionaux résidant à Paris, histoire de ne pas perdre le fumet ni l'accent de la patrie. L'organisation en était formidable: président d'honneur, présidents, vice présidents, majoraux, questeurs, censeurs, trésoriers, tous brevetés sur papier rose à bandes d'argent avec la fleur d'ail en pompon. Ce précieux document s'étalait sur la muraille, à côté d'annonces de toutes couleurs, ventes de maisons, affiches de chemins de fer, que Bompard tenait à avoir sous les yeux «pour se monter le coco», disaitil ingénument. On y lisait: Château à vendre, cent cinquante hectares, prés, chasse, rivière, étang poissonneux... jolie petite propriété en Touraine, vignes, luzernes, moulin sur la Cize...Voyage circulaire en Suisse, en Italie, au lac Majeur, aux îles Borromées... Cela l'exaltait comme s'il eût eu de beaux paysages accrochés au mur. Il croyait y être, il y était.

Mâtin!... dit Roumestan avec une nuance d'envie pour ce misérable chimérique, si heureux parmi ses loques, tu as une fière imagination... Estu prêt, allons?... Descendons... Il fait un froid noir chez toi...

Quelques tours aux lumières au milieu de la joyeuse cohue du boulevard, et les deux amis s'installèrent dans la chaleur capiteuse et rayonnante d'un cabinet de grand restaurant, les huîtres ouvertes, le ChâteauYquem soigneusement débouché.

À ta santé, mon camarade... Je te la souhaite bonne et heureuse.

Té! c'est vrai, dit Bompard, nous ne nous sommes pas encore embrassés.

Ils s'étreignirent pardessus la table, les yeux humides; et, si tanné que fût le cuir du Tcherkesse, Roumestan se sentit tout ragaillardi. Depuis le matin, il avait envie d'embrasser quelqu'un. Puis, tant d'années qu'ils se connaissaient, trente ans de leur vie devant eux, sur cette nappe; et dans la vapeur des plats fins, dans les paillettes des vins de luxe, ils évoquaient les jours de jeunesse, des souvenirs fraternels, des courses, des parties, revoyaient leurs figures de gamins, coupaient leurs effusions de mots patois qui les rapprochaient encore.

T'en souvènés, digo?... tu t'en souviens, dis?

Dans un salon à côté, on entendait un égrènement de rires clairs, de petits cris.

Au diable les femelles, dit Roumestan, il n'y a que l'amitié.

Et ils trinquèrent encore une fois. Mais la conversation prenait tout de même un nouveau tour.

Et la petite?... demanda Bompard clignant de l'oeil ... Comment vatelle?

Oh! je ne l'ai pas revue, tu comprends.

Sans doute... sans doute... fit l'autre subitement très grave, avec une tête de circonstance.

Maintenant, derrière les tentures, un piano jouait des fragments de valses, des quadrilles à la mode, des mesures d'opérettes, alternativement folles ou langoureuses. Ils se taisaient pour écouter, grappillant des raisins flétris; et Numa, dont toutes les sensations semblaient sur pivot et à deux faces, se mettait à penser à sa femme, à son enfant, au bonheur perdu, s'épanchait tout haut, les coudes sur la table.

Onze ans d'intimité, de confiance, de tendresse... Tout cela flambé, disparu en une minute... Estce que c'est possible?... Ah! Rosalie, Rosalie...

Personne ne saurait jamais ce qu'elle avait été pour lui; et lui même ne le comprenait bien que depuis son départ. L'esprit si droit, le coeur si honnête. Et des épaules, et des bras. Pas une poupée de son comme la petite. Quelque chose de plein, d'ambré, de délicat.

«Puis, voistu, mon camarade, il n'y a pas à dire, quand on est jeune, il faut des surprises, des aventures... Les rendezvous à la hâte, aiguisés de la peur d'être pincé, les escaliers descendus quatre à quatre, ses frusques sur le bras, tout cela fait partie de l'amour. Mais, à notre âge, ce qu'on désire pardessus tout, c'est la paix, ce que les philosophes appellent la sécurité dans le plaisir. Il n'y a que le mariage qui donne ça.»

Il se leva d'un sursaut, jeta sa serviette: «Filons, té!

Nous allons? demanda Bompard, impassible.

Passer sous sa fenêtre, comme il y a douze ans... Voilà où il en est, mon cher, le grand maître de l'Université...»

Sous les arcades de la place Royale, dont le jardin couvert de neige formait un blanc carré entre les grilles, les deux amis se promenèrent longtemps, cherchant dans la déchiqueture des toits Louis XIII, des cheminées, des balcons, les hautes fenêtres de l'hôtel Le Quesnoy.

Dire qu'elle est là, soupirait Roumestan, si près, et que je ne puis la voir!...

Bompard grelottait, les pieds dans la boue, ne comprenait pas bien cette excursion sentimentale. Pour en finir, il usa d'artifice, et, le sachant douillet, craintif du moindre malaise:

Tu vas t'enrhumer, Numa, insinuatil traîtreusement.

Le Méridional eut peur et ils remontèrent en voiture.

Elle était là, dans le salon où il l'avait vue pour la première fois et dont les meubles restaient les mêmes aux mêmes places, arrivés à cet âge où les mobiliers, comme les tempéraments, ne se renouvellent plus. À peine quelques plis fanés dans les tentures fauves, une buée sur le reflet des glaces alourdi comme celui des étangs déserts que rien ne trouble. Les visages des vieux parents penchés sous les flambeaux de jeu à deux branches, en compagnie de ne trouble. Les visages des vieux parents penchés sous les flambeaux de jeu à deux branches, en compagnie de leurs partenaires habituels, avaient aussi quelque chose de plus affaissé. Madame Le Quesnoy, les traits gonflés et tombants, comme défibrés, le président accentuant encore sa pâleur et la révolte fière qu'il gardait dans le bleu amer de ses yeux. Assise près d'un grand fauteuil dont les coussins se creusaient d'une empreinte légère, Rosalie, sa soeur couchée, continuait tout bas la lecture qu'elle lui faisait tout à l'heure à voix haute, dans le silence du whist coupé de demimots, d'interjections de joueurs.

C'était un livre de sa jeunesse, un de ces poètes de nature que son père lui avait appris à aimer; et du blanc des strophes elle voyait monter tout son passé de jeune fille, la fraîche et pénétrante impression des premières lectures.

La belle aurait pu sans souci Manger ses fraises loin d'ici, Au bord d'une claire fontaine, Avec un joyeux moissonneur Qui l'aurait prise sur son coeur. Elle aurait eu bien moins de peine.

Le livre lui glissa des mains sur les genoux, les derniers vers retentissant en chanson triste au plus profond de son être, lui rappelant son malheur un instant oublié. C'est la cruauté des poètes; ils vous bercent, vous apaisent, puis d'un mot avivent la plaie qu'ils étaient en train de guérir.

Elle se revoyait à cette place, douze ans auparavant, quand Numa lui faisait sa cour à gros bouquets, et que, parée de ses vingt ans, du désir d'être belle pour lui, elle le regardait venir par cette fenêtre, comme on guette sa destinée. Il restait dans tous les coins des échos de sa voix chaude et tendre, si prompte à mentir. En cherchant bien parmi cette musique étalée au piano, on aurait retrouvé les duos qu'ils chantaient ensemble; et tout ce qui l'entourait lui semblait complice du désastre de sa vie manquée. Elle songeait à ce qu'elle aurait pu être, cette vie, à côté d'un honnête homme, d'un loyal compagnon, non pas brillante, ambitieuse, mais l'existence simple et cachée où l'on eût porté à deux vaillamment les chagrins, les deuils jusqu'à la mort...

Elle aurait eu bien moins de peine...

Elle s'absorbait si fort dans son rêve que, le whist terminé, les habitués étaient partis sans qu'elle l'eût presque remarqué, répondant machinalement au salut amical et apitoyé de chacun, ne s'apercevant pas que le président, au lieu de reconduire ses amis comme il en avait l'habitude chaque soir quel que fût le temps et la saison, se promenait à grands pas dans le salon, s'arrêtait enfin devant elle à la questionner d'une voix qui la faisait tout à coup tressaillir.

Eh bien, mon enfant, où en estu? Qu'astu décidé?

Mais toujours la même chose, mon père.

Il s'assit auprès d'elle, lui prit la main, essaya d'être persuasif:

«J'ai vu ton mari... Il consent à tout... tu vivras ici près de moi, tout le temps que ta mère et ta soeur resteront absentes; après même, si ton ressentiment dure encore... Mais, je te le répète, ce procès est impossible. Je veux espérer que tu ne le feras pas.»

Rosalie secoua la tête.

«Vous ne connaissez pas cet homme, mon père... Il emploiera son astuce à m'envelopper, à me reprendre, à faire de moi sa dupe, une dupe volontaire, acceptant une existence avilie, sans dignité... Votre fille n'est pas de ces femmeslà... Je veux une rupture complète, irréparable, hautement annoncée au monde...»

De la table où elle rangeait les cartes et les jetons, sans se retourner, madame Le Quesnoy intervint doucement:

«Pardonne, mon enfant, pardonne.

Oui, c'est facile à dire quand on a un mari loyal et droit comme le tien, quand on ne connaît pas cet étouffement du mensonge et de la trahison en trame autour de soi... C'est un hypocrite, je vous dis. Il a sa morale de Chambéry et celle de la rue de Londres... Les mots et les actes toujours en désaccord... Deux paroles, deux visages... Toute la félinerie et la séduction de sa race... L'homme du Midi enfin!»

Et s'oubliant dans l'éclat de sa colère:

«D'ailleurs, j'avais déjà pardonné une fois... Oui, deux ans après mon mariage... Je ne vous en ai pas parlé, je n'en ai parlé à personne... J'ai été très malheureuse... Alors nous ne sommes restés ensemble qu'aux prix d'un serment... Mais il ne vit que de parjures... Maintenant, c'est fini, bien fini.»

Le président n'insista plus, se leva lentement et vint à sa femme. Il y eut un chuchotement comme un débat, surprenant, entre cet homme autoritaire et l'humble créature annihilée: «Il faut lui dire... Si... si... Je veux que vous lui disiez...» Sans ajouter une parole, M. Le Quesnoy sortit, et son pas de tous les soirs, sonore, régulier, monta des arcades désertes dans la solennité du grand salon.

«Viens là...» fit la mère à sa fille d'un geste tendre... Plus près, encore plus près... Elle n'oserait jamais tout haut... Et même, si rapprochées, coeur contre coeur, elle hésitait encore: «Écoute, c'est lui qui le veut... Il veut que je te dise que ta destinée est celle de toutes les femmes, et que ta mère n'y a pas échappé.»

Rosalie s'épouvantait de cette confidence qu'elle devinait aux premiers mots, tandis qu'une chère vieille voix brisée de larmes articulait à peine une triste, bien triste histoire de tous points semblable à la sienne, l'adultère du mari dès les premiers temps du ménage, comme si la devise de ces pauvres êtres accouplés étant «trompemoi ou je te trompe», l'homme s'empressait de commencer pour garder son rang supérieur.

Oh! assez, assez, maman, tu me fais mal...

Son père qu'elle admirait tant, qu'elle plaçait audessus de tout autre, le magistrat intègre et ferme!... Mais qu'étaitce donc que les hommes? Au nord, au midi, tous pareils, traîtres et parjures... Elle qui n'avait pas pleuré pour la trahison du mari, sentit un flot de larmes chaudes à cette humiliation du père... Et l'on comptait làdessus pour la fléchir!... Non, cent fois non, elle ne pardonnerait pas. Ah! c'était cela, le mariage. Eh bien, honte et mépris sur le mariage! Qu'importaient la peur du scandale et les convenances du monde, puisque c'était à qui les braverait le mieux.

Sa mère l'avait prise, la serrait contre son coeur, essayant d'apaiser la révolte de cette jeune conscience blessée dans ses croyances, dans ses plus chères superstitions, et doucement elle la caressait, comme on berce:

«Si, tu pardonneras... Tu feras comme j'ai fait... C'est notre lot, voistu... Ah! dans le premier moment, moi aussi, j'ai eu un grand chagrin, une belle envie de sauter par la fenêtre... Mais j'ai pensé à mon enfant, à mon pauvre petit André qui naissait à la vie, qui depuis a grandi, qui est mort en aimant, en respectant tous les siens... Toi de même tu pardonneras pour que ton enfant ait l'heureuse tranquillité que vous a faite mon courage, pour qu'il ne soit pas un de ces demiorphelins que les parents se partagent, qu'ils élèvent dans la haine et le mépris l'un de l'autre... Tu songeras aussi que ton père et ta mère ont déjà bien souffert et que d'autres désespoirs les menacent...

Elle s'arrêta, oppressée. Puis avec un accent solennel:

Ma fille, tous les chagrins s'apaisent, toutes les blessures peuvent guérir... Il n'y a qu'un malheur irréparable, c'est la mort de ce qu'on aime...

Dans l'épuisement ému qui suivit ces derniers mots, Rosalie voyait grandir la figure de sa mère, de tout ce que perdait le père à ses yeux. Elle s'en voulait de l'avoir méconnue si longtemps sous cette apparente faiblesse faite de coups douloureux, d'abdication sublime et résignée. Aussi ce fut pour elle, rien que pour elle qu'en termes doux, presque de pardon, elle renonça à son procès de vengeance. «Seulement n'exige pas que je retourne avec lui... J'aurais trop honte... J'accompagnerai ma soeur dans le Midi... Après, plus tard, nous verrons.»

Le président rentrait. Il vit l'élan de la vieille mère jetant ses bras au cou de son enfant et comprit que leur cause était gagnée.

«Merci, ma fille...» murmuratil, très touché. Puis, après avoir hésité un peu, il s'approcha de Rosalie pour le bonsoir habituel. Mais le front si tendrement offert d'ordinaire se déroba, le baiser glissa dans les cheveux.

Bonne nuit, mon père.

Il ne dit rien, s'en alla courbant la tête, avec un frisson convulsif de ses hautes épaules. Lui qui dans sa vie avait tant accusé, tant condamné il trouvait un juge à son tour, le premier magistrat de France!

V

HORTENSE LE QUESNOY

Par un de ces brusques coups de scènes, si fréquents dans la comédie parlementaire, cette séance du 8 janvier, où la fortune de Roumestan semblait devoir s'effondrer, lui valut un éclatant triomphe. Quand il monta à la tribune pour répondre à la verte satire de Rougeot sur la gestion de l'Opéra, le gâchis des Beaux Arts, l'inanité des réformes trompettées par les gagistes du ministère sacristain, Numa venait d'apprendre que sa femme était partie, renonçant à tout procès, et cette bonne nouvelle, connue de lui seul, donna à sa réplique une assurance rayonnante. Il s'y montra hautain, familier, solennel, fit allusion aux calomnies chuchotées, au scandale attendu:

Il n'y aura pas de scandale, messieurs!...

Et le ton dont il dit cela désappointa vivement, dans les tribunes bondées de toilettes, toutes les jolies curieuses, avides d'émotions fortes, venues là pour voir dévorer le dompteur. L'interpellation Rougeot fut réduite en miettes, le Midi séduisit le Nord, la Gaule fut encore une fois conquise, et lorsque Roumestan redescendit, moulu, trempé, sans voix, il eut l'orgueil de voir son parti tout à l'heure si froid, presque hostile, ses collègues du cabinet qui l'accusaient de les compromettre, l'entourer d'acclamations, de flatteries enthousiastes. Et dans l'ivresse du succès lui revenait toujours, comme une délivrance suprême, le désistement de sa femme.

Il se sentait allégé, dispos, expansif, si bien qu'en rentrant à Paris l'idée lui vint de passer rue de Londres. Oh seulement en ami, pour rassurer cette pauvre enfant aussi inquiète que lui des suites de l'interpellation et qui supportait leur mutuel exil avec tant de courage, lui envoyait de sa naïve écriture séchée de poudre de riz de bonnes petites lettres où elle lui racontait sa vie jour par jour, l'exhortait à la patience, à la prudence:

«Non, non, ne viens pas, pauvre cher... Écrismoi, pense à moi...
Je serai forte.»
Justement l'Opéra ne jouait pas ce soirlà, et pendant le court trajet de la gare à la rue de Londres, tout en serrant dans sa main la petite clef qui l'avait plus d'une fois tenté depuis quinze jours, Numa pensait:

Comme elle va être heureuse!

La porte ouverte, refermée sans bruit, il se trouva tout à coup dans l'obscurité; on n'avait pas allumé le gaz. Cette négligence donnait à la petite maison un aspect de deuil, de veuvage, qui le flatta. Le tapis de l'escalier amortissant sa montée rapide, il arriva, sans que rien l'eût annoncé, dans le salon tendu d'étoffes japonaises aux nuances délicieusement fausses pour l'or factice des cheveux de la petite.

Qui est là? demanda du divan une jolie voix irritée.

Moi, pardi!...

Il y eut un cri, un bond, et, dans l'indécision du crépuscule, l'éclair blanc de ses jupes rabattues, la chanteuse se dressa, épouvantée, tandis que le beau Lappara, immobile, écroulé, sans même la force de rajuster son désordre, fixait les fleurs du tapis pour ne pas regarder le patron. Rien à nier. Le divan haletait encore.

Canailles! râla Roumestan, étranglé d'une de ces fureurs où la bête rugit dans l'homme avec l'envie de déchirer, de mordre, bien plus que de frapper.

Il se retrouva dehors sans savoir, emporté par la crainte de sa propre violence. À la même place, à la même heure, quelques jours avant, sa femme avait reçu comme lui ce coup de la trahison, la blessure outrageante et basse, autrement cruelle, autrement imméritée que la sienne mais il n'y pensa pas un instant, tout à l'indignation de l'injure personnelle. Non, jamais vilenie semblable ne s'était vue sous le soleil. Ce Lappara qu'il aimait comme un fils, cette drôlesse pour laquelle il avait compromis jusqu'à sa fortune politique!

Canailles!... canailles! répétaitil tout haut dans la rue déserte, sous une pénétrante petite pluie qui le calma bien mieux que les plus beaux raisonnements.

«Té mais je suis trempé...»

Il courut à la station de voitures de la rue d'Amsterdam, et, dans l'encombrement que font à ce quartier les arrivages perpétuels de la gare, se heurta au plastron raide et sanglé du général marquis d'Espaillon.

Bravo, mon cher collègue... je n'étais pas à la séance, mais on m'a dit que vous aviez chargé comme un b... à fond et dans le tas!

Sous son parapluie qu'il tenait droit comme une latte, il avait, le vieux, un diable d'oeil allumé et la barbiche en croc d'un soir de bonne fortune.

N... d... D..., ajoutatil en se penchant vers l'oreille de Numa d'un ton de confidence gaillarde, vous pouvez vous vanter de connaître les femmes, vous.

Et comme l'autre le regardait, croyant à une ironie.

Eh! oui, vous savez bien, notre discussion sur l'amour... C'est vous qui aviez raison... Il n'y a pas que les godelureaux pour plaire aux belles... J'en ai une en ce moment... Jamais gobé comme ça... F... n... d... D... Pas même à vingtcinq ans, en sortant de l'École...

Roumestan qui écoutait, la main sur la portière de son fiacre, crut sourire au vieux passionné et n'ébaucha qu'une horrible grimace. Ses théories sur les femmes se trouvaient si singulièrement bouleversées... La gloire, le génie, allons donc! ce n'est pas là qu'elles vous regardent... Il se sentait fourbu, dégoûté, une envie de pleurer, puis de dormir pour ne plus penser, pour ne plus voir surtout le rire hébété de cette coquine, droite devant lui, dépoitraillée, toute sa chair hérissée et frissonnante du baiser interrompu. Mais, dans l'agitation de nos journées, les heures se tiennent et se bousculent comme les vagues. Au lieu du bon repos qu'il comptait trouver en rentrant, un nouveau coup l'attendait au ministère, une dépêche que Méjean avait ouverte en son absence et qu'il lui tendit très ému.

Hortense meurt. Elle veut te voir. Viens vite.

VEUVE PORTAL.

Tout son effroyable égoïsme lui sortit dans un cri désolé:

«C'est un dévouement que je vais perdre là!...»

Ensuite il pensa à sa femme présente à cette agonie et qui laissait signer tante Portal. Sa rancune ne fléchissait pas, ne fléchirait probablement jamais; si elle avait voulu pourtant, comme il eût recommencé l'existence à côté d'elle, revenu des imprudentes folies, familial, honnête, presque austère. Et ne songeant plus au mal qu'il avait fait, il lui reprochait sa dureté comme une injustice.

Il passa la nuit à corriger les épreuves de son discours, s'interrompant pour écrire des brouillons de lettres furieuses ou ironiques, grondantes et sifflantes, à cette scélérate d'Alice Bachellery. Méjean veillait aussi au secrétariat, rongé de chagrin, cherchant l'oubli dans un travail acharné; et Numa, tenté par ce voisinage, éprouvait un réel supplice de ne pouvoir lui confier sa déception. Mais il eût fallu avouer qu'il était retourné làbas et le ridicule de son rôle.

Il n'y tint pas cependant; et au matin, comme son chef de cabinet l'accompagnait à la gare, il lui laissa entre autres instructions le soin de donner son congé à Lappara. «Oh! il s'y attend bien, allez... Je l'ai pris en flagrant délit de la plus noire ingratitude... Quand je pense comme j'avais été bon, jusqu'à vouloir en faire...» Il s'arrêta court. N'allaitil pas raconter à l'amoureux qu'il avait promis deux fois la main d'Hortense. Sans plus s'expliquer, il déclara ne pas vouloir retrouver au ministère un personnage aussi tristement immoral. Du reste, la duplicité du monde l'écoeurait. Ingratitude, égoïsme. C'était à tout ficher là, les honneurs, les affaires, à quitter Paris pour s'en aller gardien de phare, sur un rocher sauvage, en pleine mer.

Vous avez mal dormi, mon cher patron... fit Méjean de son air paisible.

Non, non... c'est comme je vous le dis... Paris me donne la nausée...

Debout sur le perron du départ, il se retournait avec un geste de dégoût vers la grande ville où la province déverse toutes ses ambitions, ses convoitises, son tropplein bouillonnant et malpropre, et qu'elle accuse ensuite de perversité et d'infection. Il s'interrompit, pris d'un rire amer:

Croyezvous qu'il s'acharne après moi, celui là!...

À l'angle de la rue de Lyon, sur une grande muraille grise percée d'odieuses lucarnes, un piteux troubadour délavé par toutes les humidités de l'hiver et les ordures d'une maison de pauvres, montrait à la hauteur d'un second étage une hideuse bouillie de bleu, de jaune, de vert, ou le geste du tambourinaire se dessinait encore, prétentieux et vainqueur. Les affiches se succèdent vite dans la réclame parisienne, l'une couvrant l'autre. Mais quand elles ont ces dimensions énormes, toujours quelque bout dépasse; et depuis quinze jours, aux quatre coins de Paris, le ministre trouvait en face de tous ses regards un bras, une jambe, un bout de toque ou de soulier à la poulaine qui le poursuivait, le menaçait, comme dans cette légende provençale où la victime hachée et dispersée crie encore sus au meurtrier de tous ses lambeaux épars. Ici elle se dressait en entier; et le sinistre coloriage, entrevu dans le matin frileux, condamné à subir sur place toutes les souillures, avant de s'émietter, de s'effiloquer à un dernier coup de vent, résumait bien la destinée du malheureux troubadour, roulant pour jamais les basfonds de ce Paris qu'il ne pouvait plus quitter, menant la farandole toujours recrue des déclassés, des dépatriés et des fous, de ces affamés de gloire qu'attendent l'hôpital, la fosse commune ou la table de dissection.

Roumestan monta en wagon, transi jusqu'aux os par cette apparition et le froid de sa nuit blanche, grelottant à voir aux portières les tristes perspectives du faubourg, ces ponts de fer en travers des rues ruisselantes, ces hautes maisons, casernes de la misère, aux fenêtres innombrables garnies de loques, ces figures du matin, hâves, mornes, sordides, ces dos courbés, ces bras serrant les poitrines pour cacher ou pour réchauffer, ces auberges à toutes enseignes, cette forêt de cheminées d'usines crachant leurs fumées rabattues puis les premiers vergers de la banlieue noirs de terreau, le torchis des masures basses, les villas fermées au milieu de leurs jardinets rétrécis par l'hiver, aux arbustes secs comme le bois dégarni des kiosques et des treillages, plus loin des routes défoncées de flaques où défilaient des bâches inondées, un horizon couleur de rouille, des vols de corbeaux sur les champs déserts.

Il ferma les yeux devant ce navrant hiver du nord que le sifflet du chemin de fer traversait de longs appels de détresse; mais, sous ses paupières closes, ses pensées ne furent pas plus riantes. Si près de cette drôlesse, dont le lien tout en se dénouant lui serrait encore le coeur, il songeait à ce qu'il avait fait pour elle, à ce que l'entretien d'une étoile lui coûtait depuis six mois. Tout est faux dans cette vie de théâtre, surtout le succès qui ne vaut que ce qu'on l'achète. Frais de claque, billets au contrôle, dîners, réceptions, cadeaux aux reporters, la publicité sous toutes ses formes, et ces magnifiques bouquets devant lesquels l'artiste rougit, s'émeut en chargeant ses bras, sa poitrine nue, le satin de sa robe; et les ovations pendant les tournées, les conduites à l'hôtel, les sérénades au balcon, ces continuels excitants à la morne indifférence du public, tout cela se paie et fort cher.

Pendant six mois, il avait tenu caisse ouverte, ne marchandant jamais ses triomphes à la petite. Il assistait aux conférences avec le chef de claque, les réclamiers des journaux, la marchande de fleurs dont la chanteuse et sa mère rafistolaient trois fois les bouquets sans le lui dire, en renouvelant les rubans; car il y avait chez ces juives de Bordeaux une crasseuse rapacité, un amour de l'expédient, qui les faisait rester à la maison des journées entières couvertes de guenilles, en camisoles sur des jupes à volants, aux pieds des vieux souliers de bal, et c'est ainsi que Numa les trouvait le plus souvent, en train de jouer aux cartes et de s'injurier comme dans une voiture de saltimbanques. Depuis longtemps on ne se gênait plus avec lui. Il savait tous les trucs, toutes les grimaces de la diva, sa grossièreté native de femme du Midi maniérée et malpropre, et qu'elle avait dix ans de plus que son âge des coulisses, et que pour fixer son éternel sourire en arc d'amour elle s'endormait chaque soir les lèvres retroussées aux coins et garnies de coralline...

Làdessus il finit par s'endormir, lui aussi, mais pas la bouche en arc, je vous jure, les traits tirés au contraire de dégoût, de fatigue, tout le corps secoué aux heurts, aux ballottements, aux sursauts métalliques d'un train rapide lancé à toute vapeur.

Valeince!... Valeince!...

Il rouvrit les yeux, comme un enfant que sa mère appelle. Déjà le Midi commençait, le ciel se creusait d'abîmes bleus entre les nuées que chassait le vent. Un rayon chauffait la vitre et de maigres oliviers blanchissaient parmi des pins. Ce fut un apaisement dans tout l'être sensitif du Méridional, un changement de pôle pour ses idées. Il regrettait d'avoir été si dur envers Lappara. Briser ainsi l'avenir de ce pauvre garçon, désoler toute une famille, et pourquoi? «Une foutaise, allons!» comme disait Bompard. Il n'y avait qu'une façon de réparer cela, d'enlever à cette sortie du ministère son apparence de disgrâce: la croix. Et le ministre se mit à rire à l'idée du nom de Lappara à l'Officiel avec cette mention: services exceptionnels. C'en était bien un, après tout, que d'avoir délivré son chef de cette liaison dégradante.

Orange!... Montélimar et son nougat!... Les voix vibraient, soulignées de gestes vifs. Les garçons de buffet, marchands de journaux, gardesbarrières se précipitaient, les yeux hors de la tête. C'était bien un autre peuple que trente lieues plus haut; et le Rhône, le large Rhône, vagué comme une mer, étincelait sous le soleil dorant les remparts crénelés d'Avignon dont les cloches, en branle depuis Rabelais, saluaient de leurs carillons clairs le grand homme de la Provence. Numa s'attablait au buffet devant un petit pain blanc, une croustade, une bouteille de ce vin de la Nerte mûri entre les pierres, capable de donner l'accent des garrigues même à un Parisien.

Mais où l'air natal le ragaillardit le mieux, ce fut lorsque ayant quitté la grande ligne, à Tarascon, il prit place dans le petit chemin de fer patriarcal à une seule voie, qui pénètre en pleine Provence entre les branches de mûriers et d'oliviers, les panaches de roseaux sauvages frôlant les portières. On chantait dans tous les wagons, on s'arrêtait à chaque instant pour laisser passer un troupeau, embarquer un retardataire, prendre un paquet qu'apportait en courant un garçon de mas. Et c'était des saluts, des causettes des gens du train avec les fermières en coiffes d'Arles, au pas de leur porte ou savonnant sur la pierre du puits. Aux stations, des cris, des bousculades, tout un village accouru pour faire la conduite à un conscrit ou à une fille qui va à la ville en condition.

Té! vé, sans adieu, mignote... sois bien bravette au moins!

On pleure, on s'embrasse, sans prendre garde à l'ermite mendiant en cagoule qui marmonne son «pater» appuyé à la barrière, et furieux de ne rien recevoir, s'éloigne en remontant sa besace:

Encore un «pater» de fichu!

Le propos est entendu, et les larmes séchées, tout le monde rit, le frocard plus fort que les autres.

Blotti dans son coupé pour échapper aux ovations, Roumestan se délectait à toute cette belle humeur, à la vue de ces faces brunes, busquées, allumées de passion et d'ironie, de ces grands garçons aux airs farauds, de ces chato ambrées comme les grains allongés du muscat et qui deviendraient en vieillissant ces mères grands, noires et desséchées par le soleil, secouant de la poussière de tombe à chacun de leurs gestes ratatinés. Et zou! Et allons! Et tous les en avant du monde! Il retrouvait là son peuple, sa Provence mobile et nerveuse, race de grillons bruns, toujours sur la porte et toujours chantant!

Luimême en était bien le prototype, déjà guéri de son grand désespoir du matin, de ses dégoûts, de son amour, balayés au premier souffle du mistral qui grondait fort dans la vallée du Rhône, soulevant le train, l'empêchant d'avancer, chassant tout, les arbres courbés dans une attitude de fuite, les Alpilles reculées, le soleil secoué de brusques éclipses, tandis qu'au loin la ville d'Aps, sous un rayon de lumière fouettée, groupait ses monuments au pied de l'antique tour des Antonins, comme un troupeau de boeufs se serre en pleine Camargue autour du plus vieux taureau, pour faire tête au vent.

Et c'est au son de cette grandiose fanfare du mistral que Numa fit son entrée en gare. Par un sentiment de délicatesse conforme au sien, la famille avait tenu son arrivée secrète, pour éviter les orphéons, bannières, députations solennelles. Seule, la tante Portal l'attendait, pompeusement installée dans le fauteuil du chef de gare, une chaufferette sous ses pieds. Dès qu'elle aperçut son neveu, le visage rose de la grosse dame, épanoui dans son repos, prit une expression désolée, se gonfla sous ses coques blanches; et les bras tendus elle éclata en sanglots et en lamentations:

Aïe de nous, quel malheur!... Une si jolie petite, péchère!... Et si bravette!... si doucette qu'on se serait levé le pain de la bouche pour elle...

Mon Dieu! C'est donc fini?... pensa Roumestan, revenu à la réalité de son voyage.

La tante interrompit tout à coup son vocero pour dire froidement, d'un ton dur, au domestique qui oubliait le chauffepieds: «Ménicle, la banquette!» Puis elle reprit sur un diapason de douleur frénétique le détail des vertus de demoiselle Le Quesnoy, demandant à grands cris au ciel et à ses anges pourquoi ils ne l'avaient pas prise à la place de cette enfant, secouant de ses explosions gémissantes le bras de Numa sur lequel elle s'appuyait pour gagner son vieux carrosse à petits pas de procession.

Sous les arbres dépouillés de l'avenue Berchère, dans un tourbillon de branches et d'écorces sèches que jetait le mistral en dure litière à l'illustre voyageur, les chevaux avançaient lentement; et Ménicle, au tournant où les portefaix avaient l'habitude de dételer, fut obligé de faire claquer son fouet plusieurs fois, tellement ses bêtes semblaient surprises de cette indifférence pour le grand homme. Roumestan, lui, ne songeait qu'à l'horrible nouvelle qu'il venait d'apprendre; et tenant les deux mains poupines de la tante qui continuait a s'éponger les yeux, il demandait doucement:

Quand estce arrivé?

Quoi donc?

Quand estelle morte, la pauvre petite?

Tante Portal bondit sur ses coussins empilés:

«Morte!... Bou Diou!... Qui t'a dit qu'elle était morte?...»

Tout de suite elle ajouta avec un grand soupir: «Seulement, péchère, elle n'en a pas pour longtemps.»

Oh! non, pas pour bien longtemps. Maintenant elle ne se levait plus, ne quittait plus les oreillers de dentelle où sa petite tête amaigrie devenait de jour en jour méconnaissable, plaquée aux joues d'un fard brûlant, les yeux, les narines, cernés de bleu. Ses mains d'ivoire allongées sur la batiste des draps, près d'elle un petit peigne, un miroir pour lisser de temps en temps ses beaux cheveux bruns, elle restait des heures sans parler à cause de l'enrouement douloureux de sa voix, le regard perdu vers les cimes d'arbres, le ciel éblouissant du vieux jardin de la maison Portal.

Ce soirlà, son immobilité rêveuse durait depuis si longtemps, sous les flammes du couchant qui empourprait la chambre, que sa soeur s'inquiéta:

Estce que tu dors?

Hortense secoua la tête, comme pour chasser quelque chose:

Non, je ne dormais pas; et pourtant je rêvais... Je rêvais que j'allais mourir. J'étais juste à la lisière de ce monde, penchée vers l'autre, oh penchée à tomber... Je te voyais encore, et des morceaux de ma chambre; mais j'étais déjà de l'autre côté, et ce qui me frappait, c'était le silence de la vie, auprès de la grande rumeur que faisaient les morts, un bruit de ruche, d'ailes battantes, un grésillement de fourmilière, ce grondement que la mer laisse au fond des gros coquillages. Comme si la mort était peuplée, encombrée autrement que la vie... Et cela si intense, qu'il me semblait que mes oreilles entendaient pour la première fois, que je me découvrais un sens nouveau.

Elle parlait lentement de sa voix rauque et sifflante. Après un silence, elle reprit avec tout ce que pouvait contenir d'entrain l'instrument brisé, désolé:

Toujours ma tête qui voyage... Premier prix d'imagination,

Hortense Le Quesnoy, de Paris!
On entendit un sanglot, étouffé dans un bruit de porte.

Tu vois, dit Rosalie... c'est maman qui s'en va... tu lui fais de la peine...

Exprès... tous les jours un peu... pour qu'elle en ait moins à la fois, répondit tout bas la jeune fille. Par les grands corridors du vieux logis provincial, le mistral galopait, gémissait sous les portes, les secouait de coups furieux. Hortense souriait:

Entendstu?... Oh! j'aime ça... Il semble qu'on est loin... dans des pays!... Pauvre chérie, ajoutatelle en prenant la main de sa soeur et la portant d'un geste épuisé jusqu'à sa bouche, quel mauvais tour je t'ai joué sans le vouloir... voilà ton petit qui sera du Midi par ma faute... tu ne me le pardonnerais jamais, Franciote.»

Dans la clameur du vent, un sifflet de locomotive vint jusqu'à elle, la fit tressaillir.

«Ah! le train de sept heures...»

Comme tous les malades, tous les captifs, elle connaissait les moindres bruits d'alentour, les mêlait à son existence immobile, ainsi que l'horizon en face d'elle, les bois de pins, la vieille tour romaine déchiquetée sur la côte. À partir de ce moment, elle fut anxieuse, agitée, guettant la porte à laquelle une bonne parut enfin...

«C'est bien...» dit Hortense vivement, souriant à la grande soeur
«Une minute, veuxtu?... je t'appellerai.»
Rosalie crut à une visite du prêtre apportant son latin de paroisse et ses consolations terrifiantes. Elle descendit au jardin, un enclos du Midi, sans fleurs, aux allées de buis, abrité de hauts cyprès résistants. Depuis qu'elle était gardemalade, c'est là qu'elle venait respirer, cacher ses larmes, détendre toutes les concentrations nerveuses de sa douleur. Oh! qu'elle comprenait bien maintenant la parole de sa mère.

«Il n'y a qu'un malheur irréparable, c'est la perte de ce qu'on aime.»

Ses autres chagrins, son bonheur de femme détruit, tout disparaissait. Elle ne songeait qu'à cette chose horrible, inévitable, plus proche de jour en jour... Étaitce l'heure, ce soleil rouge et fuyant qui laissait le jardin dans l'ombre et s'attardait aux vitres de la maison, ce vent lamentable soufflant de haut, qu'on entendait sans le sortir? En ce moment elle subissait une tristesse, une angoisse inexprimables. Hortense, son Hortense!... plus qu'une soeur pour elle, presque une fille, ses premières joies de maternité précoce... Les sanglots l'étouffaient, sans larmes. Elle aurait voulu crier, appeler au secours, mais qui? Le ciel, où regardent les désespérés, était si haut, si loin, si froid, comme poli par l'ouragan. Un vol d'oiseaux voyageurs s'y hâtait, dont on n'entendait pas les cris ni les ailes au grincement de voiles. Comment une voix de terre parviendraitelle à ces profondeurs muettes, indifférentes?

Elle essaya pourtant, et la face tournée vers la lumière qui montait, s'échappait au faite du vieux toit, elle pria celui qui s'est plu à se cacher, à s'abriter de nos douleurs et de nos plaintes, celui que les uns adorent de confiance, le front contre terre, que d'autres cherchent éperdus, les bras épars, que d'autres enfin menacent de leur poing en révolte, qu'ils nient pour lui pardonner ses cruautés. Et ce blasphème, cette négation, c'est encore de la prière...

On l'appelait de la maison. Elle accourut, toute frissonnante, arrivée à cette peur anxieuse où le moindre bruit retentit jusqu'au fond de l'être. D'un sourire, la malade l'attira près de son lit, n'ayant plus de force ni de voix comme si elle venait de parler longtemps.

«J'ai une grâce à te demander, ma chérie... Tu sais, cette grâce dernière qu'on accorde au condamné à mort... Pardonne à ton mari. Il a été bien méchant, indigne avec toi, mais sois indulgente, retourne auprès de lui. Fais cela pour moi, ma grande soeur, pour nos parents que ta séparation désole et qui vont avoir besoin qu'on se serre contre eux, qu on les entoure de tendresse. Numa est si vivant, il n'y a que lui pour les remonter un peu... C'est fini, n'estce pas, tu pardonnes...»

Rosalie répondit: «Je te le promets...» Que valait ce sacrifice de son orgueil, au prix du malheur irréparable?... Debout près du lit, elle ferma les yeux une seconde, buvant ses larmes. Une main qui tremblait se posa sur la sienne. Il était là, devant elle, ému, piteux, tourmenté d'une effusion qu'il n'osait pas.

«Embrassezvous!...» dit Hortense.

Rosalie approcha son front où Numa posait timidement les lèvres.

«Non, non... pas ça... à pleins bras, comme quand on s'aime...»

Il saisit sa femme, l'étreignit d'un long sanglot, pendant que tombait la nuit dans la grande chambre, par pitié pour celle qui les avait jetés sur le coeur l'un de l'autre. Ce fut sa dernière manifestation de vie. Elle resta dès lors absorbée, distraite, indifférente à tout ce qui se passait autour d'elle, sans répondre à ces désolations du départ, où il n'y a pas de réponse, gardant sur son jeune visage cette expression de sourde et hautaine rancune de ceux qui meurent trop tôt pour leur ardeur de vivre et à qui les désillusions n'avaient pas dit leur dernier mot.

VI

UN BAPTÊME

Le grand jour, en Aps, c'est le lundi, le jour du marché.

Bien avant l'aube, les routes qui conduisent à la ville, ces grands chemins déserts d'Arles et d'Avignon où la poussière a l'aspect tranquille d'une tombée de neige, s'agitent au lent grincement des charrettes, aux caquets des poules dans leurs clairesvoies, aux abois des chiens galopants, à ce ruissellement d'averse que fait le passage d'un troupeau, avec la longue roulière du berger qui se dresse portée par une houle bondissante. Et les cris des bouviers haletant après leurs bêtes, le son mat des coups de trique sur les flancs rugueux, des silhouettes équestres armées de tridents à taureaux, tout cela s'engouffre à tâtons sous les portails dont les créneaux festonnent le ciel constellé, se répand sur le Cours qui cerne la ville endormie reprenant à cette heure son caractère de vieille cité romaine et sarrasine, aux toits irréguliers, aux pointus moucharabiehs au dessus d'escaliers ébréchés et branlants. Ce grouillement confus de gens et de bêtes somnolentes s'installe sans bruit entre les troncs argentés des gros platanes, déborde sur la chaussée, jusque dans les cours des maisons, remue des odeurs chaudes de litières, des arômes d'herbes et de fruits mûrs. Puis au réveil, la ville se trouve prise de partout par un marché immense, animé, bruyant, comme si toute la Provence campagnarde, hommes et bestiaux, fruits et semailles, s'était levée, rapprochée dans une inondation nocturne.

C'est alors un merveilleux coup d'oeil de richesse rustique, variant selon la saison. À des places désignées par un usage immémorial, les oranges, les grenades, les coings dorés, les sorbes, les melons verts et jaunes s'empilent aux éventaires, en tas, en meules, par milliers; les pêches, figues, raisins s'écrasent dans leurs paniers d'expédition, à côté des légumes en sacs. Les moutons, les petits cabris, les porcs soyeux et roses ont des airs ennuyés au bord des palissades de leurs parcs. Les boeufs accouplés sous le joug marchent devant l'acheteur; les taureaux, les naseaux fumants, tirent sur l'anneau de fer qui les tient au mur. Et plus loin, des chevaux en quantité, des petits chevaux de Camargue, arabes abâtardis, bondissent, mêlent leurs crinières brunes, blanches ou rousses, arrivent à leur nom «Té! Lucifer... Té! l'Estérel...» manger l'avoine dans la main des gardiens, vrais gauchos des pampas bottés jusqu'à mijambes. Puis les volailles deux par deux, les pattes liées et rouges, poules, pintades, gisant aux pieds de leurs marchandes alignées, avec des battements d'ailes à terre. Puis la poissonnerie, les anguilles toutes vives sur le fenouil, les truites de la Sorgue et de la Durance mêlant des écailles luisantes, des agonies couleur d'arc enciel. Enfin, tout au bout, dans une sèche forêt d'hiver, les pelles de bois, fourches, râteaux, d'un blanc écorcé et neuf, se dressant entre les charrues et les herses.

De l'autre côté du Cours, contre le rempart, les voitures dételées alignent sur deux rangs leurs cerceaux, leurs bâches, leurs hautes ridelles, leurs roues poudreuses; et dans l'espace libre, la foule s'agite, circule avec peine, se bêle, discute et marchande en divers accents, l'accent provençal, raffiné, maniéré, qui veut des tours de tête et d'épaule, une mimique hardie; celui du Languedoc plus dur, plus lourd, d'articulation presque espagnole. De temps en temps ce remous de chapeaux de feutre, de coiffes arlésiennes ou contadines, cette pénible circulation de tout un peuple d'acheteurs et de vendeurs s'écarte devant les appels d'une charrette retardataire, avançant au pas, à grand effort.

La ville bourgeoise paraît peu, pleine de dédain pour cet envahissement campagnard qui fait pourtant son originalité et sa fortune. Du matin au soir les paysans parcourent les rues, s'arrêtent aux boutiques, chez les bourreliers, les cordonniers, les horlogers, contemplent les jacquemarts de la maison de ville, les vitrines des magasins, éblouis par les dorures et les glaces des cafés comme les bouviers de Théocrite devant le palais des Ptolémées. Les uns sortent des pharmacies, chargés de paquets, de grandes bouteilles; d'autres, toute une noce, entrent chez le bijoutier pour choisir, après un rusé marchandage, les boucles à longs pendants, la chaîne de cou de l'accordée. Et ces jupes rudes, ces visages halés et sauvages, cet affairement avide font songer à quelque ville de Vendée prise par les chouans, au temps des grandes guerres.

Ce matinlà, le troisième lundi de février, l'animation était vive et la foule compacte comme aux plus beaux jours de l'été, dont un ciel sans nuage, doré d'un chaud soleil, pouvait donner l'illusion. On parlait, on gesticulait par groupes; mais il s'agissait moins d'achat ou de vente que d'un événement qui suspendait le trafic, tournait tous les regards, toutes les têtes, et l'oeil vaste des ruminants, et l'oreille inquiète des petits chevaux camarguais vers l'église de SaintePerpétue. C'est que le bruit venait de se répandre sur le marché, où il causait l'émoi d'une hausse extraordinaire, que l'on baptisait aujourd'hui même le garçon de Numa, ce petit Roumestan dont la naissance, trois semaines auparavant, avait été accueillie par des transports de joie en Aps et dans tout le Midi provençal.

Malheureusement, le baptême, retardé à cause du grand deuil de la famille, devait, pour les mêmes motifs de convenance, garder un caractère d'incognito; et sans quelques vieilles sorcières du pays des Baux qui installent chaque lundi sur les degrés de Sainte Perpétue un petit marché d'herbes aromatiques, de simples séchés et parfumés cueillis dans les Alpilles, la cérémonie aurait probablement passé inaperçue. En voyant le carrosse de tante Portal s'arrêter devant l'église, les vieilles revendeuses donnèrent l'éveil aux marchandes d'aïets qui se promènent un peu partout, d'un bout à l'autre du

Cours, les bras chargés de leurs chapelets luisants. Les marchandes d'aïets avertirent la poissonnerie, et bientôt la petite rue qui mène à l'église déversa sur la place toute la rumeur, toute l'agitation du marché. On se pressait autour de Ménicle, droit à son siège, en grand deuil, le crêpe au bras et au chapeau, et répondant aux interrogations par un jeu muet et indifférent des épaules. Malgré tout, on s'obstinait à attendre, et sous les bandes de calicot en travers de la rue marchande, on s'empilait, on s'étouffait, les plus hardis montés sur des bornes, tous les yeux fixés à la grand'porte qui s'ouvrit enfin.

Ce fut un «Ah!» de feu d'artifice, triomphant, modulé, puis arrêté net par la vue d'un grand vieux, vêtu de noir, bien navré, bien lugubre pour un parrain, donnant le bras à madame Portal très fière d'avoir servi de commère au premier président, leurs deux noms accolés sur le registre paroissial, mais assombrie par son deuil récent et les tristes impressions qu'elle venait de retrouver dans cette église. Il y eut une déception de la foule à l'aspect de ce couple sévère que suivait, tout en noir aussi et ganté, le grand homme d'Aps transi par le désert et le froid de ce baptême entre quatre cierges, sans autre musique que les vagissements du petit à qui le latin du sacrement et l'eau lustrale sur son tendre petit cervelet d'oiseau déplumé avaient causé la plus désagréable impression. Mais l'apparition d'une plantureuse nourrice, large, lourde, enrubannée comme un prix des comices agricoles, et l'étincelant petit paquet de dentelles et de broderies blanches qu'elle portait en sautoir, dissipèrent cette tristesse des spectateurs, soulevèrent un nouveau cri de fusée montante, une allégresse éparpillée en mille exclamations enthousiastes.

Lou vaqui... le voilà... vé! vé!

Surpris, ébloui, clignant sous le soleil, Roumestan s'arrêta une minute sur le haut perron, à regarder ces faces moricaudes, ce moutonnement serré d'un troupeau noir d'où montait vers lui une tendresse folle; et quoique fait aux ovations, il eut là une des émotions les plus vives de son existence d'homme public, une ivresse orgueilleuse qu'ennoblissait un sentiment de paternité tout neuf et déjà très vibrant. Il allait parler, puis songea que ce n'était pas l'endroit sur ce parvis.

Montez, nourrice..., dit-il à la paisible Bourguignonne dont les yeux de vache laitière s'ouvraient éperdument, et pendant qu'elle s'engouffrait avec son fardeau léger dans le carrosse, il recommanda à Ménicle de rentrer vite, par la traverse. Mais une clameur immense lui répondit:

Non, non... le grand tour... le grand tour.

C'était le marché à faire dans toute sa longueur.

Va pour le grand tour! dit Roumestan après avoir consulté du regard son beaupère à qui il eût voulu éviter ce joyeux train; et la voiture s'ébranlant, aux craquements lourds de son antique carcasse, s'engagea dans la rue, sur le Cours, au milieu des vivats de la foule qui se montait à ses propres cris, arrivait à un délire d'enthousiasme, entravait à tout moment les chevaux et les roues. Les glaces baissées, on allait au pas, parmi ces acclamations, ces chapeaux levés, ces mouchoirs qui s'agitaient, et ces odeurs, ces haleines chaudes du marché dégagées au passage. Les femmes avançaient leurs têtes ardentes, bronzées, jusque dans la voiture, et rien que pour avoir vu le béguin du petit s'exclamaient:

Diou! lou bèu drôle!... Dieu! le bel enfant!

Il semble son père, qué!...

Déjà son nez Bourbon et ses bonnes manières...

Faisla voir, ma mie, faisla voir ta belle face d'homme.

Il est joli comme un oeuf...

On le boirait dans un verre d'eau...

Té! mon trésor...

Mon perdreau...

Mon agnelet...

Mon pintadon...

Ma perle fine...

Et elles l'enveloppaient, le léchaient de la flamme brune de leurs yeux. Lui, l'enfant d'un mois, n'était pas effrayé du tout. Réveillé par ce vacarme, appuyé sur le coussin aux noeuds roses, il regardait de ses yeux de chat, la pupille dilatée et fixe, avec deux gouttes de lait au coin des lèvres, et restait calme, visiblement heureux de ces apparitions de têtes aux portières, de ces clameurs grandissantes où se mêlaient bientôt les bêlements, mugissements, piaillements des bêtes prises d'une nerveuse imitation, formidable tutti de cous tendus, de bouches ouvertes, de gueules bées à la gloire de Roumestan et de sa progéniture. Alors même, et tandis que tous dans la voiture tenaient à deux mains leurs oreilles fracassées, le petit homme demeurait impassible, et son sangfroid déridait jusqu'au vieux président qui disait: «Si celuilà n'est pas né pour le forum!...»

Ils espéraient en être quittes en sortant du marché, mais la foule les suivit, s'accroissant à mesure des tisserands du CheminNeuf, des ourdisseuses par bandes, des portefaix de l'avenue Berchère. Les marchands accouraient au pas des boutiques, le balcon du cercle des Blancs se chargeait de monde, et bientôt les orphéons à bannières débouchaient de toutes les rues, entonnant des choeurs, des fanfares, comme à une arrivée de Numa, avec quelque chose de plus gai, d'improvisé, en dehors du festival habituel.

Dans la plus belle chambre de la maison Portal, dont les boiseries blanches, les soies flammées dataient d'un siècle, Rosalie, étendue sur une chaise longue, laissant aller son regard du berceau vide à la rue déserte et ensoleillée, s'impatientait à attendre le retour de son enfant. Sur ses traits fins, exsangues, creusés de fatigue et de larmes, où se montrait pourtant comme un apaisement heureux, on pouvait lire l'histoire de son existence pendant ces derniers mois, inquiétudes, déchirements, sa rupture avec Numa, la mort de son Hortense, et à la fin la naissance de l'enfant qui emportait tout. Quand ce grand bonheur lui était venu, elle n'y comptait plus, brisée par tant de coups, se croyant incapable de donner la vie. Aux derniers jours elle s'imaginait même ne plus sentir les soubresauts impatients du petit être emprisonné; et le berceau, la layette toute prête, elle les cachait par une crainte superstitieuse, avertissant seulement l'Anglaise qui la servait: «Si l'on vous demande des vêtements d'enfant, vous saurez où les prendre.»

S'abandonner sur un lit de torture, les yeux clos, les dents serrées, pendant de longues heures coupées toutes les cinq minutes d'un cri déchirant et qui force, subir son destin de victime dont toutes les joies doivent être chèrement payées, ce n'est rien quand l'espoir est au bout; mais avec l'attente d'une désillusion suprême, dernière douleur où les plaintes presque animales de la femme se mêleront aux sanglots de la maternité déçue, quel épouvantable martyre! À demi tuée, sanglante, du fond de son anéantissement elle répétait: «Il est mort... il est mort...» lorsqu'elle entendit cet essai de voix, cette respiration criée, cet appel à la lumière, de l'enfant qui naît. Elle y répondit, oh! de quelle tendresse débordante:

«Mon petit!...»

Il vivait. On le lui apporta. C'était à elle ce petit être au souffle court, ébloui, éperdu, presque aveugle; cette chose en chair la rattachait à l'existence, et rien que de l'appuyer contre elle, toute la fièvre de son corps se noyait dans une sensation de fraîcheur réconfortante. Plus de deuil, plus de misère! Son enfant, son garçon, ce désir, ce regret qu'elle avait dix ans enduré, qui lui brûlait les yeux de larmes, dès qu'elle regardait les enfants des autres, ce petit qu'elle avait embrassé d'avance sur tant de mignonnes joues roses! Il était là et lui causait un ravissement nouveau, une surprise, chaque fois que de son lit elle se penchait vers le berceau, écartait les mousselines sur le sommeil à peine entendu, les poses frileuses et recroquevillées du nouveauné. Elle le voulait toujours près d'elle. Quand il sortait, elle s'inquiétait, comptait les minutes, mais jamais avec tant d'angoisse que ce matin du baptême.

«Quelle heure estil?... demandaitelle à chaque instant... Comme ils tardent!... Dieu! que c'est long...»

Madame Le Quesnoy, restée près de sa fille, la rassurait, elle même un peu tourmentée, car ce petitfils, le premier, l'unique, tenait bien fort au coeur des grandsparents, éclairait leur deuil d'une espérance.

Une rumeur lointaine qui se rapprochait en grondant redoubla l'inquiétude des deux femmes.

On va voir, on écoute. Des chants, des détonations, des clameurs, des cloches en branle. Et tout à coup l'Anglaise qui regardait dehors:

Madame, c'est le baptême!

C'était le baptême, ce tumulte d'émeute, ces hurlements de cannibales autour du poteau de guerre.

Oh! ce Midi... ce Midi!... répétait la jeune mère épouvantée.
Elle tremblait qu'on lui étouffât son petit dans la bagarre.
Mais non. Le voici, bien vivant, superbe, remuant ses petits bras courts, les yeux tout grands, dans la longue robe de baptême dont Rosalie a brodé les festons, cousu les dentelles ellemême, la robe de l'autre; et ce sont ses deux garçons en un, le mort et le vivant, qu'elle possède à cette heure.

Il n'a pas fait un cri, ni tété une fois de toute la route affirme tante Portal qui raconte à sa manière imagée le triomphant tour de ville, pendant que les portes battent dans le vieil hôtel redevenu la maison aux ovations, que les domestiques courent sous le porche où l'on sert de la «gazeuse» aux musiciens. Des fanfares éclatent, les vitres tremblent. Les vieux Le Quesnoy sont descendus dans le jardin loin de cette joie qui les navre; et comme Roumestan va parler au balcon, tante Portal, l'Anglaise Polly passent vite dans le salon, pour l'entendre.

Si Madame voulait ben tenir le petit! demande la Nounou curieuse comme une sauvage, et Rosalie est tout heureuse de rester seule, son enfant sur les genoux. De sa fenêtre elle voit étinceler les bannières dans le vent, la foule serrée, tendue à la parole de son grand homme. Des mots du discours lui arrivent par échappées; mais elle entend surtout le timbre de cette voix prenante, émouvante, et un frisson douloureux lui passe au souvenir de tout le mal qui lui est venu de cette éloquence habile à mentir et à duper.

À présent, c'est fini; elle se sent à l'abri des déceptions et des blessures. Elle a un enfant. Cela résume tout son bonheur, tout son rêve. Et se faisant un bouclier de la chère petite créature qu'elle serre en travers de sa poitrine, elle l'interroge tout bas, de tout près, comme si elle cherchait une réponse ou une ressemblance dans l'ébauche de cette petite figure informe, ces minces linéaments qui semblent creusés par une caresse dans de la cire et marquent déjà une bouche sensuelle, violente, un nez courbé pour l'aventure, un menton douillet et carré.

«Estce que tu seras un menteur, toi aussi? Estce que tu passeras ta vie à trahir les autres et toimême, à briser les coeurs naïfs qui n'auront fait d'autre mal que de te croire et de t'aimer?... Estce que tu auras l'inconstance légère et cruelle, prenant la vie en virtuose, en chanteur de cavatines? Estce que tu feras le trafic des mots, sans t'inquiéter de leur valeur, de leur accord avec ta pensée, pourvu qu'ils brillent et qu'ils sonnent?»

Et la bouche en baiser sur cette petite oreille qu'entourent des cheveux follets:

«Estce que tu seras un Roumestan, dis?»

Sur le balcon, l'orateur s'exaltait, arrivait aux grandes effusions dont on n'entendait que les départs accentués à la méridionale, «Mon âme... Mon sang... Morale... Religion... Patrie...» soulignés par les hurrahs de cet auditoire fait à son image, qu'il résumait, dans ses qualités et dans ses vices, un Midi effervescent, mobile, tumultueux comme une mer aux flots multiples dont chacun le reflétait.

Il y eut un dernier vivat, puis on entendit la foule s'écouler lentement. Roumestan entra dans la chambre en s'épongeant le front, et grisé de son triomphe, chaud de cette inépuisable tendresse de tout un peuple, s'approcha de sa femme, l'embrassa avec une effusion sincère. Il se sentait bon pour elle, tendre comme au premier jour, sans remords comme sans rancune.

Bé?... Croistu qu'on le fête, monsieur ton fils!

À genoux devant le canapé, le grand homme d'Aps jouait avec son enfant, cherchait ces petits doigts qui s'accrochent à tout, ces petits pieds battant le vide. Rosalie le regardait, un pli au front, essayant de définir cette nature contradictoire, insaisissable. Puis vivement, comme si elle avait trouvé:

Numa, quel est ce proverbe de chez vous que tante Portal disait l'autre jour?... Joie de rue... Quoi donc?...

Ah! oui... Gau de carriero, doulo d'oustau... Joie de rue, douleur de maison.

C'est cela, ditelle avec une expression profonde.

Et laissant tomber les mots un à un comme des pierres dans un abîme, elle répéta lentement, en y mettant la plainte de sa vie, ce proverbe où toute une race s'est peinte et formulée:

Joie de rue, douleur de maison...

FIN

Milton Keynes UK
Ingram Content Group UK Ltd.
UKHW050628301023
431584UK00009B/492